LA BALLADE DE TRASH

Soon

Une collection dirigée par Denis Guiot

Couverture illustrée par Stéphanie Hans

ISBN : 978-2-74-850925-0

JEANNE-A DEBATS

LA BALLADE DE TRASH

SYROS

À Siegy, Steven Tyler, «Silent Killer» et...
à Denis Guiot qui saura quoi faire
de si étranges compagnons.

Janie's got a gun
Her dog day's begun
Steven Tyler

The experience of survival is the key to the gravity of love.
Enigma

CHAPITRE 1

Worm était dissimulé sous le pan d'un mur effondré ; son bleu de travail troué, souillé de taches noirâtres, se fondait dans le paysage plombé. Les gravats formaient une petite caverne sombre qui le protégeait des regards, mais aussi des gifles du grésil. Un hurlement se fit entendre dans le lointain. Un chien sauvage, sans doute. Transi de froid et d'appréhension, le gosse efflanqué jeta un coup d'œil à l'extérieur. Il espérait que l'animal n'avait pas flairé son odeur. Le soleil commençait à ourler de rose les décombres. Le lever du jour rendait presque belles les tours délabrées des cités en ruine.

Un peu plus loin, ceinte d'immeubles cossus, la basilique Saint-Denis rutilait de tous ses vitraux sous son énorme Bulle pressurisée, grosse perle translucide aux reflets chatoyants, perdue dans un champ de cendres. Gravé sur la paroi courbe, l'étincelant logo fédéral, lion passant sur champ de sinople, proclamait avec fierté l'appartenance de la ville à la Fédération Eurasiatique.

Worm savait qu'il faisait chaud là-bas sous le globe de plexyor. Il y avait de l'eau et de la nourriture à profusion, mais jamais on ne l'y laisserait entrer. D'ailleurs, il n'y tenait pas. Les orphelins comme lui qui pénétraient dans ces « communautés gardées » avaient une fâcheuse tendance à n'en jamais ressortir.

Au mieux, on les envoyait dans les Grandes Serres de la Beauce. Là-bas, ils gagnaient le droit de trimer dans la boue le reste de leur existence pour fournir les Bulles alentour en fruits frais, légumes et céréales. Existence qui ne durait guère : ils travaillaient dans des conditions terribles, sous des pluies de pesticides et d'engrais chimiques tous plus dangereux les uns que les autres. Au pire, si les rumeurs qui couraient parmi les gangs avaient quelque fondement, ils finissaient cobayes dans des laboratoires secrets des Euraz.

En plissant bien les yeux derrière sa frange brune, l'enfant apercevait les silhouettes sombres des Bleus à l'intérieur de la Bulle. Les flics protégeaient ce qui demeurait encore debout de l'ancienne ville de Saint-Denis. Machinalement, il rabattit le turban anti-UV sur son cou et son visage minces. Il ne faisait pas encore assez jour pour que le soleil soit dangereux, mais le gosse sentait presque les ondes malveillantes des caméras du dôme glisser sur les parois de sa misérable cachette. Il toussa nerveusement puis renifla avec précaution : beaucoup de soufre, mais c'était supportable, juste *très* puant. L'air n'était pas trop pollué aujourd'hui, pas assez pour dépenser un oxymasque.

Le chien aboya encore, beaucoup plus près cette fois. Worm jeta un œil à la montre maculée de neige boueuse qu'il portait à son poignet osseux. Dans une minute, les rayons du matin se réverbéreraient pile sur la Bulle et aveugleraient temporairement les caméras. Alors, il devrait courir.

Tentant de maîtriser sa terreur, le gamin égrena les secondes : 59, 58... 3, 2, 1, 0 ! Sa montre bipa, elle était programmée pour émettre un signal toutes les quinze secondes à partir de ce moment. Top ! Il surgit de l'amas de béton à la vitesse d'une balle traçante. Du moins il l'espérait parce que sa marge de manœuvre était très étroite : deux minutes exactement pour rejoindre le repaire de son gang. S'il se loupait, les copains ne lui ouvriraient pas la porte de l'abri. Et il serait bon pour passer vingt-quatre heures seul, dans les ruines, avant qu'une nouvelle opportunité ne se présente.

Il glissa sur une plaque de gel, invisible sous la neige dégoûtante, et se releva sans même un juron pour repartir à toute vitesse vers la Poubelle. C'était Trash, la Chef des Tramps, son gang, qui avait baptisé ainsi leur refuge : « Nous sommes de la merde pour les Euraz et les Bleus qui les protègent, disait-elle avec un sourire narquois. Ils nous traitent comme de la merde, alors on va s'appeler comme ça ! »

Il courait. Trash serait fière de lui, se dit-il en tentant de calmer les battements de son cœur. Les aboiements se rapprochaient. Le gosse zigzagua au milieu des vestiges d'un ancien pavillon individuel. La piscine vide faillit lui être fatale : la neige recouvrait juste assez la vieille bâche en lambeaux qui la dissimulait, ainsi que les piquets d'acier rouillé plantés au fond. Il ne put s'empêcher de s'adresser une insulte bien sentie : il aurait dû s'en souvenir, puisqu'il avait aidé à concevoir ce piège la semaine précédente. Il s'était passé tant de choses depuis que ça lui était sorti de la tête.

Derrière lui, il y eut un bruit de glissade aussitôt suivi d'un jappement de douleur étouffé sous une avalanche de neige. Le gosse ricana en silence, la bête n'avait pas échappé au traquenard, elle. Sa montre bipa pour la sixième fois. Il slaloma entre les branches sèches et piquantes d'une haie de sapinettes gelées.

Trente secondes ! pensa-t-il en protégeant son visage des griffures. *J'y arriverai jamais, y a encore la Barrière à franchir !*

Celle-ci se dressait devant lui, hérissée de tessons tranchants et bardée de redoutables razorbelés. Il perdit encore un instant à la « lire », comme disait Junk, le Second de Trash, qui l'avait fabriquée.

Où est planqué ce putain de triangle rouge ?

Si on ne savait pas où chercher, impossible de tomber par hasard sur la trouée entre les razorbelés. En plus, sa disposition changeait régulièrement. Le triangle la signalait aux membres du gang.

Ouf, le voilà !

Il se fit encore plus petit pour se couler entre les fils d'acier compacté, plus coupants que des sabres. Il trébucha à peine, une fine entaille rouge se dessina sur sa tempe. Il s'en était fallu d'un cheveu que le fil lui emporte l'œil. Encore un bip à son poignet. Plus que quinze secondes !

L'entrée du repaire apparut, dissimulée dans un amas de briques et de béton. Rien ne le distinguait des autres ruines alentour. Worm plongea désespérément vers un vieux panneau de bois incrusté de guingois dans un écrin de mortier. Il s'acharna sur la séquence du verrou digital, le dernier obstacle. Le battant, une porte blindée camouflée, s'ouvrit brusquement. Il se laissa tomber à l'intérieur tandis qu'une grande blonde claquait le vantail dans son dos.

Sa montre bipa pour la dernière fois à l'instant même où la serrure automatique s'enclenchait. Alors seulement, le gamin s'offrit le luxe de respirer. C'était si bon d'être en sécurité dans la Poubelle, de sentir l'air tiède des caves sur ses joues, les bras chaleureux de Shabby, sa sœur aînée, aussi blonde et longiligne qu'il était trapu et brun, et les copains Tramps qui l'accueillaient par de grandes claques sonores dans le dos.

Il pleura même un peu.

***

Trash le reçut pendant son quart. Elle pédalait avec vigueur sur un des vélos bricolés par Junk. Ses jambes maigres et nerveuses se dessinaient sous la vieille combinaison de moto jadis argentée, où le gris sombre l'emportait désormais. Une dizaine d'autres membres du gang pédalaient autour d'elle. Il y eut une fluctuation dans la lumière des plafonniers, Trash gueula :

– Plus vite, vous autres ! Ce n'est pas parce que Worm est de retour qu'il faut mollir !

Les « cyclistes » baissèrent la tête sous la réprimande et forcèrent sur les pédales. L'éclairage redevint stable. Une fois de plus, Worm admira le mécanisme que Junk, le Second taciturne de Trash, avait réalisé à partir de presque rien. Junk était un vrai sorcier dès qu'il tenait son tournevis cruciforme, sa « baguette magique », riaient les autres. Avec une pince à épiler et un fer à souder, il devenait carrément un dieu.

Les vélos entraînaient le rotor d'un alternateur *via* un jeu ingénieux d'engrenages qui multipliaient l'effort fourni. Toute la cache aménagée dans les caves de l'ancienne cité des Francs-Moisins était ainsi alimentée en électricité. Grâce à Junk, on n'avait pas froid, les ampoules brillaient, l'air était recyclé et l'eau purifiée. On pouvait même prendre des douches chaudes lorsque c'était son tour.

À condition d'avoir envie de se doucher, songea Worm en grimaçant.

Le gosse était perplexe quant à cette exigence de Trash. La Chef avait des idées bizarres, parfois.

On pouvait même appeler ça des manies, surtout lorsqu'il s'agissait de savon.

Elle avait beau dire : « Il y a trente ans d'espérance de vie entre celui qui se lave et celui qui ne se lave pas », Worm n'était pas convaincu. D'ailleurs, il n'était pas sûr d'avoir envie de vivre aussi longtemps. La Chef lui rappelait un peu sa mère, parfois. Ce que Shabby lui en avait raconté, plutôt. Il était trop jeune quand elle était morte, défendant à mains nues ses deux enfants contre une de ces meutes de chiens errants qui hantaient les banlieues désertées.

– Alors ? haleta Trash, le tirant de ses pensées.

Worm déglutit. Trash l'intimidait toujours. Pourtant, elle le dépassait à peine de dix centimètres. Ils devaient être les plus petits des Tramps, tous les deux. Mais elle avait dix-huit ans, soit cinq ans de plus que lui. Et c'était cinq années qui comptaient triple dans ce monde pourri. Même s'il savait qu'il n'avait rien à craindre d'elle tant qu'il respectait les règles des Tramps.

Le gang n'avait rien à voir avec certains autres qu'il avait connus auparavant. La Chef ne frappait personne sans raison, ne s'acharnait pas sur les plus faibles – elle faisait vite passer cette habitude aux nouveaux arrivants. Il lui suffisait d'appeler Junk, qui réglait la question très rapidement : le nouveau trop brutal comprenait ce que le mot solidarité voulait dire. Si Trash devait s'en occuper elle-même, elle tuait le gars, tout simplement.

Elle prétendait qu'il fallait avoir la taille de Junk pour laisser une seconde chance à ses adversaires. Lorsqu'on faisait moins d'un mètre cinquante, on devait frapper vite, fort et définitivement.

– Je n'ai pas vu Markus. C'est Calder, son lieutenant, qui m'a reçu, débita Worm sans reprendre son souffle. C'est confirmé. Tous les gangs du 9-2, du 9-3, du 9-4 et du 7-5 y seront. La réunion aura lieu dans Paris, sous le parc Montsouris.

– Sous le parc Montsouris ? L'ancienne cache des Tangs ? demanda Trash, faisant allusion à un vieux gang parisien du 13e arrondissement, démantelé par les Bleus.

Dans les années 2080, selon les lois protectionnistes de la Fédération Eurasiatique, la Mairie de Paris avait « renvoyé dans leur pays » les habitants du 13e arrondissement qui ne possédaient pas assez de sang « français de souche » dans les veines, pas assez pour faire de bons citoyens euraz. Les descendants des réfugiés vietnamiens et chinois qui avaient habité la Chinatown parisienne étaient partis mourir de faim dans leurs pays d'« origine » ravagés par la pollution et le soleil devenu mortel. Worm ne les avait pas connus, ça s'était passé avant sa naissance, et tout ce qu'il savait de Markus, c'était qu'il commandait le plus gros gang de la Bulle parisienne, ce qui en faisait quasiment le dirigeant de tous les autres. Aussi haussa-t-il les épaules en signe d'ignorance.

– Calder a dit qu'il ferait parvenir le plan par l'Externet.

Trash jura :

– Je n'aime pas ça, n'importe qui peut pirater l'Externet.

L'Externet, le réseau mondial, était accessible à tous, au contraire de l'Intranet parisien, beaucoup plus sûr et bien mieux crypté. Mais ce dernier était difficile d'accès pour la plupart des gangs – sauf pour Trash.

– Il a dit que tu répondrais ça, mais que personne ne pourra deviner ce que c'est, vu que Markus le glissera dans *ouikiparis.euraz*. Ça fera comme une « notule historique » sur le 13e arrondissement, qu'il a dit.

– Et moi je dis qu'on devrait pas y aller ! fit une voix rauque, presque douloureuse, dans le dos de Worm.

Le gosse n'eut pas besoin de se tourner pour identifier le nouvel interlocuteur dont l'ombre immense venait de tomber sur lui. Junk le mécano n'était jamais loin de Trash, quoi qu'il arrive. Le jeune colosse au crâne rasé – à l'exception d'une mèche blanche qui pendouillait devant ses petits yeux noirs plissés – avança d'un pas puissant jusqu'aux vélos ; trop grand, il n'était pas à l'aise dans les caves. Les traits âpres de son visage exprimaient une totale désapprobation. Le Second des Tramps avait tout de l'ours mal léché, tel que se l'imaginait Worm dans les histoires que leur lisait Trash, parfois. Nerveux, le gosse se tordit le cou pour apercevoir, très haut au-dessus de lui, l'expression morose de Junk. Sanglé dans son battle-dress kaki aux poches rapiécées et bourrées d'outils en tout genre, ce dernier passa les mains dans sa ceinture cloutée et lestée de trois razors de tailles différentes. Il gronda :

– Je vois pas ce que Markus a de si important à raconter qui puisse pas passer par le réseau. Et puis, c'est un coup à se faire choper par les Bleus. Si y a la moindre fuite, y vont faire un sacré coup de filet.

Trash haussa les épaules et pédala plus énergiquement. Sa tresse rouge vif, seule coquetterie qu'elle se permettait, bougea à peine dans son dos. Longue d'un bon mètre vingt, elle était lestée d'une lame de razor dissimulée dans les dernières mèches, qui en faisait une arme inattendue et redoutable.

– Je sais. Mais, petit a, nous n'avons pas le choix. Markus est notre fournisseur principal à Paris. Si on le mécontente, il coupera nos accès aux circuits d'approvisionnement. Surtout celui des médicaments dont il est le seul dépositaire. Petit b, il s'est mis dans la tête de faire signer un armistice et un pacte de non-agression aux gangs franciliens, et ça, je ne peux qu'approuver. Nous avons assez de soucis avec l'hiver et les Bleus, tu ne trouves pas?

Worm sourit intérieurement. Trash ne pouvait s'empêcher de causer comme ça. Stylé. Il ne savait pas si elle avait appris son vocabulaire dans les livres qu'elle leur lisait, ou si, comme on le racontait, elle était née euraz dans la Bulle parisienne. Mais force lui était de reconnaître que ça avait une certaine allure. La Chef avait une sacrée classe !

La jeune femme penchait la tête, attendant la réponse de son Second. Il grogna entre ses dents, mais finit par acquiescer. Il sembla s'aviser de la présence de Worm et lui lança :

– Combien ?

Worm ne comprit pas la question. Trash traduisit :

– Il te demande combien nous pouvons emmener de gars avec nous. Calder a précisé ?

– Il a dit : « Autant que vous voulez », ça n'a pas d'importance.

Junk leva les yeux au ciel :

– Ça pue de plus en plus cette histoire, merde ! S'il veut la paix, le Markus, pourquoi il trouve pas important de limiter le nombre de gars ? Plus y en aura, plus les chances que ça dérape vont augmenter.

– Il doit penser que ses nouveaux MK77 décourageront n'importe qui de faire le mariolle. Et peut-être que c'est un gage de bonne foi de sa part : jamais il ne nous aura permis d'entrer si nombreux sur son territoire !

– Les MK77, c'est des trucs de quatorze kilos. Ça impressionne, mais ses gars peuvent même pas les porter... rétorqua Junk en haussant les épaules. OK, on prend neuf Tramps avec nous, laissa-t-il tomber, pas un de plus.

Trash acquiesça :

– Tu me donneras la liste demain ?

Junk gronda de nouveau. Ça pouvait passer pour un oui. Puis il tourna les talons et enfila le couloir qui menait à son atelier. Worm en profita pour lancer un regard suppliant à la jeune femme :

– J'pourrai venir, Chef ? S'il vous plaît ?

CHAPITRE

2

Trash ne leva pas la tête lorsque Junk fit irruption dans le box en parpaings qui lui servait de chambre et de bureau. Elle était assise sur son lit et s'injectait sa dose hebdomadaire d'AzTc 114. Il détourna le regard lorsque l'aiguille pénétra la peau livide du gras du ventre, constellée de marques d'anciennes piqûres.

Enfin, si on peut appeler ça du gras, vu qu'elle est de plus en plus maigrichonne, pensa-t-il en serrant les mâchoires.

Elle ne lui avait rien dit, comme toujours, mais il savait que la santé de Trash se détériorait de semaine en semaine. Le Nada4 dont elle était atteinte gagnait sans cesse du terrain. Elle devenait plus froide, plus dure et moins portée à l'indulgence. Un nouveau membre du gang en avait déjà fait les frais. Le razor dans les mèches rouges n'avait eu aucune miséricorde pour ce prétendant un peu trop empressé à la couche du Chef. Trash ne détestait pas vraiment qu'on la trouve séduisante, mais elle avait horreur qu'on insiste. Encore plus qu'on la touche. L'imbécile s'était obstiné. Il avait même tenté de l'embrasser contre son gré, trompé par sa petite taille et sa minceur. Il ne s'était pas demandé une seconde comment quarante kilos de muscles pouvaient imposer une discipline de fer à une cinquantaine de Tramps, depuis près de trois ans maintenant. Trash l'avait égorgé sans battre un cil, le visage de glace.

Junk repensa au jour où il l'avait rencontrée, cinq ans auparavant, lors d'une virée aux abords de la Bulle parisienne. Il était tombé sur elle par hasard : étendue et brûlante de fièvre dans un coin de décharge, violée par des gangboys, ses jolis vêtements de gosse de riches éparpillés autour d'elle. Elle ne pleurait pas parce que toute sa chair le faisait pour elle. Elle avait été contaminée par le Nada4 à ce moment-là.

Junk avait horreur de la surprendre ainsi, quand elle se soignait, parce que, à chaque fois, il la revoyait brisée. Et il refusait que Trash soit brisée. Jamais. Par personne. Surtout pas par un ennemi aussi vicieux et invisible qu'un putain de virus contre lequel ses gros poings d'ours ou son tournevis cruciforme ne pourraient rien. Pas même la venger.

Inconsciente de la tempête qui se livrait sous le crâne rasé de son Second, Trash se redressa, jeta la seringue dans un bac vert près de son lit. Elle retourna s'asseoir à son bureau, une ancienne porte en merisier vernissée comme un miroir et posée sur des tréteaux, qui détonnait dans cet antre de béton brut. Elle recommença aussitôt à pianoter sur un clavier de rebut mais en parfait état de fonctionnement. L'écran – récupéré, lui aussi – colorait son visage de reflets bleuâtres qui accentuaient les cernes sous ses yeux couleur d'acier, si durs et si las.

Junk se carra sur ses jambes. Cela pouvait durer un moment. Dans les rares instants de détente que la gestion d'un gang de mômes plus paumés les uns que les autres lui accordait, son amie s'adonnait à sa passion : le Net, surfer, dénicher les infos les mieux dissimulées, craquer les systèmes les mieux protégés. Elle était déjà une virtuose alors qu'elle vivait dans la capitale.

Lorsqu'elle avait pris la décision de fuir son salopard de père cinq ans auparavant, elle avait infiltré au préalable les réseaux de surveillance des Bleus pour analyser la situation extérieure. C'est ainsi qu'elle était tombée sur cet instant d'aveuglement providentiel des caméras qui avait fait de la Poubelle la tanière de gang la plus difficile à atteindre... et la mieux gardée.

– Qu'est-ce que tu veux? demanda-t-elle plutôt gentiment, mais toujours sans le regarder, le visage tourné vers l'écran.

Il se secoua.

– On doit pas y aller.

– Nous en avons déjà discuté.

– Recommençons.

Trash émit un soupir, son pianotage régulier s'interrompit :

– Je ne crois pas, non. J'ai pris ma décision.

Elle reporta son regard sur l'écran.

– Alors, laisse-moi y aller tout seul !

Il suppliait presque. Mais Trash n'en tint pas compte et ce fut d'une voix inhabituellement dure qu'elle répondit :

– Si l'un de nous deux doit y aller seul, c'est moi. Je deviens de plus en plus... remplaçable.

Il sursauta quand elle buta sur le dernier mot. C'était la première fois depuis longtemps que la Chef évoquait sa fin prochaine. Mais jamais elle ne l'avait fait si nettement ni si impitoyablement. Elle savait pourtant ce que cela signifiait pour lui.

– Trash...

Il ne put terminer, la gorge nouée. Trash pivota et le regarda bien en face.

– Ce n'est pas le moment, je sais. Mais ce ne sera jamais le moment de toute façon. Quant à toi, Junkie Junk, ta notion des négociations, je la connais, gloussa-t-elle, elle commence par une bonne rafale d'AK47 !

Junk ne sourit pas, elle insista :

– Tu le vois bien : chaque jour je deviens plus insensible à mon entourage. Bientôt, je ne ressentirai plus rien du tout. Je pourrais devenir une vraie psychopathe à cause de cette saloperie de virus, et alors il faudra tenir ta promesse...

Les épaules de Junk s'affaissèrent comme si deux poings géants s'y étaient abattus.

– Trash... bredouilla-t-il à nouveau.

Elle surprit l'éclat humide au bord de l'œil sombre de son ami. Avec un temps de retard, elle se leva pour le prendre dans ses bras. Quand les gens pleuraient, il fallait les consoler, s'était-elle souvenue comme d'une chose apprise des siècles auparavant. Elle frissonna. Elle *oubliait* de plus en plus d'évidences comme celle-ci, ces derniers temps. C'était très mauvais signe, elle le savait.

Mais Junk ne s'en aperçut pas, il se contenta de se pencher pour la serrer très fort contre lui, à en briser ses côtes menues, fragiles comme celles d'un oiseau. C'était tout ce que Trash lui avait jamais permis et, pendant les cinq années qu'ils avaient passées ensemble, cette étreinte l'avait satisfait. Trash l'autorisait, lui et lui seul, à la prendre dans ses bras. Tous les autres mouraient. La première loi de la Poubelle était celle-ci: personne ne touchait Trash. Jamais. Même du bout des doigts.

Sauf Junk.

La jeune fille le repoussa avec douceur mais fermeté:

– Allons nous entraîner, dit-elle. La prochaine fenêtre pour quitter la Poubelle ne s'ouvrira que dans dix-huit heures maintenant. En chemin, tu me donneras la liste de ceux qu'on emmène, d'accord?

Vaincu, il hocha la tête.

***

Une étourdissante série de rondades envoyèrent le corps frêle, mais tendu comme une lame d'acier, à l'autre bout du gymnase des Tramps.

Gymnase était un bien grand mot pour ce parking souterrain désaffecté où traînaient encore quelques carcasses de voitures. On y avait jeté des dizaines de tapis déchirés et des monceaux de moquettes élimées, si bien que le sol était enfoui sous une épaisseur d'une vingtaine de centimètres de tissu.

Trash effectua en sens inverse les mêmes acrobaties pour terminer sa course, le tranchant du pied tendu, contre la joue de Junk. Il para de la main en hauteur sans porter le coup. Pour éviter le choc censé lui écraser le nez, elle se laissa tomber sur un genou, renvoyant son talon direct sur la rotule de son adversaire. Junk vacilla, parvint à rester debout, puis répliqua d'un coup de tibia que la jeune femme évita de justesse. Mais, dans le même élan, elle exécuta un ciseau impeccable des deux jambes qui balaya son Second. Pour de bon, cette fois.

Junk se releva aussitôt pour foncer sur elle. Il la saisit par les cheveux au passage alors qu'elle tentait de l'éviter d'un souple saut périlleux arrière. Le dos de la jeune femme s'arqua suivant un angle douloureux. D'une torsion de hanches, elle se reçut sur le sol, demeura accroupie une fraction de seconde, sa tresse toujours dans la main de Junk. Puis elle se redressa avec une force incroyable pour un corps aussi délicat. Les deux mains en coupe au-dessus du crâne, elle les projeta vers le menton de Junk, dont la tête partit en arrière. Seul son cou de taureau le sauva de la fracture de la nuque.

C'était la règle de leurs combats: Trash ne devait jamais faire semblant; elle devait se battre pour tuer. À cette seule condition, Junk acceptait de lui servir de partenaire.

Lorsqu'il l'avait trouvée dans la décharge, gisante et vaincue, elle était pourtant une karatéka émérite. Son ordure de père, par mauvaise conscience sans doute, l'avait envoyée dans divers clubs friqués, dont un de karaté. Aucun des deux n'avait jamais pensé qu'elle aurait réellement à s'en servir. Aussi, à l'époque de son agression, retenait-elle instinctivement toujours ses coups. Elle n'avait alors que treize ans mais aurait été parfaitement capable d'envoyer à l'hôpital, voire au cimetière, ses agresseurs beaucoup moins entraînés qu'elle. Hélas...

En cinq ans auprès de Junk, elle avait désappris ce conditionnement stupide. Totalement.

Alors qu'elle tentait de l'étrangler, il s'en débarrassa comme d'une plume et l'envoya s'écraser dans une pile de vieux tapis. Lorsqu'elle toucha le sol, Trash effectua un roulé-boulé parfait et se releva, paumes en l'air. Fin de la séance.

Elle est un peu trop essoufflée, non? se demanda Junk, inquiet. *Ses médocs doivent la fatiguer plus qu'elle ne l'avoue.*

Mais son faciès rude n'exprima rien de son inquiétude. Trash se releva et épousseta ses vêtements couverts de la poussière omniprésente dans la Poubelle. Les vieux murs de béton se délitaient peu à peu, ils avaient presque deux cents ans après tout...

– Tu rajouteras Worm à la liste, dit-elle tranquillement.

– Pourquoi ? Worm est pas mal dans son genre, cool, et il se glisse partout, mais c'est un jeunot. J'ai pris les neuf meilleurs, ceux en qui on peut le plus avoir confiance...

– On ne va pas prendre les meilleurs, justement, Junkie Junk. Les meilleurs, on va les laisser ici. Ils garderont la Poubelle si ça tourne mal.

Junk pencha la tête de côté, estomaqué.

– On va quand même pas emmener que des Ingés ?!

Il faisait allusion à la dizaine de gamins surnommés les ingénieurs, parce qu'ils n'étaient bons qu'à un truc : apprendre auprès de Junk tout ce qu'il y avait à savoir sur la maintenance de la Poubelle. Pour la bagarre, ils ne valaient rien mais, pour bricoler, certains d'entre eux commençaient à se rendre utiles.

Trash secoua la tête, un sourire presque joyeux sur ses lèvres pâles.

– Non, on ne va pas prendre que des Ingés, quatre tout au plus. Il faut qu'on en laisse quelques-uns ici, au cas où tu ne reviendrais pas...

Le « non plus » resta suspendu entre eux. Junk haussa les épaules, il n'avait cure de la survie du gang si Trash ou lui disparaissait. Lorsqu'elle avait commencé à recruter des gosses, il n'y avait vu qu'une mesure supplémentaire de survie. Quoi qu'il arrive, plus on était nombreux et organisés, plus on avait des chances. Mais il savait que son amie ne voyait pas les choses comme lui.

Trash était une bâtisseuse. Elle construisait pour la durée, pour que quelque chose lui survive. Il l'admettait, même s'il ne le comprenait pas vraiment. Lui, il s'en foutait carrément de sa propre mort et de ce qui se passerait après, mais il n'avait pas d'échéance. Alors que Trash se savait condamnée. En compensation, plus elle arrachait de gosses à la Grande Faucheuse en les faisant entrer dans le gang, mieux elle se sentait. Ces enfants remplaçaient ceux qu'ils auraient pu av... Il se reprit juste à temps, juste avant d'avoir envie de pleurer pour la deuxième fois de la journée. Bref, c'étaient les gosses qu'elle ne pourrait jamais avoir avec personne, ceux qu'elle aurait refusé de faire de toute façon.

Et elle s'en estimait responsable, tendant à considérer les Tramps comme une entité dont elle n'aurait été que la voix. Une voix qui parlait au nom de critères moraux élevés, très paradoxaux finalement, vu l'histoire de la jeune femme. Mais peut-être que cela venait de là justement, de l'enfer qu'avait été son enfance. Pour survivre, elle s'était sans doute accrochée à l'idée qu'il existait un endroit dans le monde où régneraient la justice et la sécurité pour les faibles. Ne l'ayant déniché nulle part, elle s'acharnait, se tuait à le construire.

Et lui, Junk, serait toujours responsable de ce que défendait Trash.

Ils enfilèrent le couloir qui menait aux cuisines. Déjà, une demi-douzaine d'Ingés et quelques autres membres du gang s'y agitaient pour préparer un déjeuner correct à la communauté. La vaste salle avait dû être un parking jadis, comme le gymnase. On l'avait choisie parce qu'il y avait un point d'eau directement branché sur une nappe souterraine pas trop polluée. Une douzaine de tables plus ou moins bancales croulaient sous les restes de nourriture que le commando du jour avait récupérés dans les décharges toutes proches.

Trash et Junk se dirigèrent vers une table consacrée au tri et au nettoyage des légumes talés ou pourris et prirent place auprès d'un grand échalas rouquin, récemment recueilli par les Tramps. Il était ridicule dans son short et son tee-shirt trop petits pour lui, c'était tout ce qu'on lui avait trouvé. Surpris par la contribution des Chefs à cette basse besogne, le garçon chuchota dans l'oreille de son voisin. Tout en grattant sa pomme de terre ridée, Trash le renseigna d'une voix très douce :

– Nous ne sommes pas des Euraz, nous n'avons pas de domestiques ou de robots pour nous servir. La Fédération ignore résolument notre existence, sauf quand elle a besoin d'esclaves. Elle croit dominer les banlieues mais c'est faux. Ce sont les gangs qui les contrôlent.

Son visage fin prit un air rêveur :

– ... et si nous parvenons à discipliner les gangs...

Le nouveau, terrorisé d'avoir attiré l'attention de la Chef, déglutit avant d'acquiescer. Toute la salle le regardait, ses joues s'empourprèrent tandis que Trash s'ébrouait pour sortir de sa songerie et continuait d'un ton ferme :

– Ici, quand tu travailles pour les autres, les autres travaillent pour toi. Il faut faire et savoir tout faire, parce que ce qui compte, c'est le gang, pas les gang-boys. Le groupe, pas l'individu. Pas même les Chefs. Tu captes ?

Il acquiesça de nouveau.

– C'est quoi ton nom ? fit Trash, revenant à sa pomme de terre.

– Jéré... (Le gamin se reprit :) Mud. (Et, devant le coup d'œil aigu que lui lança Junk, il rajouta en hâte :) Chef !

Trash sourit.

– Ça aurait pu être pire, tu sais ?

Mud leva ses sourcils sans comprendre que la jeune femme faisait allusion à la tradition ironique du gang qui consistait à donner un surnom répugnant à tous ses membres. Mais il ignorait l'anglais – c'était déjà un miracle qu'il sache lire –, il ne savait pas que *mud* voulait dire « boue », de même que *trash* signifiait « immondices », *junk* « camelote » et *tramp* « clochard ».

– Oui, Chef, répondit-il à tout hasard.

Junk sut immédiatement au ton que le gosse n'avait rien compris. Il l'observa un instant. Mud ressemblait à une araignée maigre, maladroite et rousse : grands bras, grandes mains, trop longues jambes et trop grands pieds, un torse bombé surdéveloppé. La peau douce, encore exempte de mélanomes ou de brûlures solaires, dénonçait un fils de Bulle, de même que ses manières policées, peu en usage dans les gangs.

C'était toujours la même histoire : les parents de Mud avaient été des employés, chassés par leurs patrons. On les avait jetés hors de la Bulle parce qu'ils ne pouvaient plus affronter les loyers exorbitants de leurs dortoirs puants. Comme tant d'autres. Ceux qui n'étaient pas enrôlés de force par les Fermiers Généraux et condamnés à crever doucement de cancers ou de maladies neurodégénératives dans les Grandes Serres s'estimaient heureux.

Les jumeaux, Shift et Crap, avaient trouvé Mud quinze jours plus tôt, mourant de faim et de froid sous un tas de cartons. Les cadavres de ses parents gisaient un peu plus loin, abattus par des gangboys de passage.

Les gangs se méfiaient toujours des adultes inconnus ; c'étaient soit des prédateurs, des recruteurs pour les Fermiers des Grandes Serres par exemple, soit des paumés bourrés de maladies. De plus, certains clans étaient très jaloux de leur territoire, et malheur aux isolés qui ne bénéficiaient d'aucune protection.

Les jumeaux avaient ramené le gosse à la Poubelle sans se poser de questions. Si cela avait été possible, ils auraient aussi ramené les parents. Les Tramps, eux, n'avaient rien contre les adultes, au contraire de la plupart des gangs. Il faut dire qu'ils s'étaient spécialisés dans une catégorie peu représentée : la récupération technologique. Ils dénichaient dans les décharges toutes sortes d'appareils pour les réparer et les revendre. Dans ce domaine, il arrivait que les adultes fassent de précieuses recrues, même s'ils ne restaient jamais très longtemps : ils avaient du mal à accepter l'autorité d'une si jeune femme.

Les autres gangs étaient moins recommandables : trafic de drogue et d'armes, prostitution et assassinats sur commande étaient monnaie courante. Mais les Tramps ne mangeaient pas de ce pain-là et ils ne faisaient concurrence à personne. En règle générale, on leur fichait la paix, sauf lorsqu'un Chef voisin se mettait en tête de récupérer les fameuses compétences du gang en tentant d'enlever un de ses membres.

Alors, les paisibles Tramps montraient les dents, et elles étaient acérées : c'est qu'on trouvait aussi des armes dans les décharges. Seulement, Trash et Junk n'en faisaient pas commerce et s'en réservaient l'usage.

Junk se pencha vers le rouquin :

– Ça te dirait, une sortie ?

Mud n'osa pas dire non.

CHAPITRE
3

– Top dans vingt secondes. Deux minutes pour filer. C'est le temps d'aveuglement des caméras. Chacun pour soi. Rassemblement à la gare. Ensuite, on se quitte plus. Capté ? fit Junk, la voix étouffée par le pan de son turban ceignant le bas de son visage.

– Capté ! répondirent les autres en chœur en assurant leurs sacs sur leurs épaules.

Les regards brillaient comme des lucioles dans la fente des turbans qui protégeaient leurs figures des rayons meurtriers du soleil. La neige fraîchement tombée en couche épaisse réfractait la lumière d'une façon presque insupportable. Junk supposait que l'action létale du soleil sur la peau devait en être décuplée ce jour-là. Certains avaient même rabattu leur turban sur les yeux, cela leur permettait de voir en transparence, sans être éblouis.

Accroupis sous l'avancée de ciment pulvérulent, les onze Tramps étaient dans les starting-blocks.

– ... 3, 2, 1, 0 : top !! lança Junk.

Un par un, les Tramps se faufilèrent sous la barrière de razorbelés et s'égayèrent. Ils furent plusieurs à s'étaler au milieu des déchets qui jonchaient le sol. La neige fraîche rendait la course glissante. Junk jura en bondissant par-dessus l'un des gosses en train de se relever. Il n'arrivait pas à croire que Trash voulait réellement se rendre à cette convocation de merde escortée par ces débutants.

Bon, certains étaient presque de confiance : Worm et Shift, ainsi que la brune Wresh, n'avaient pas atteint leurs treize ans sans avoir acquis des astuces utiles. La gamine possédait des qualités inappréciables en matière de forçage de serrures. Bientôt, quand elle aurait encore appris quelques trucs, rien ne lui résisterait : du cadenas simple au verrou numérique dernier cri. Worm excellait dans les missions de reconnaissance, ses capacités de concentration étaient étonnantes. Quant à Shift, le jeune métis au crâne rasé dont Junk distinguait le mince blouson noir déchiré mais clouté d'argent derrière un amas de poutrelles d'acier, c'était un joyeux drille mais surtout un sacré sniper.

Mais les Ingés ! Putain, les Ingés !

Déjà, celui que Junk venait d'enjamber... Spoilt, le bien nommé. *Pourri*, il l'était jusqu'aux os ! Lâche, menteur, fourbe, et malade en prime. Sujet à des crises d'asthme phénoménales qui le faisaient respirer avec la discrétion d'une navette au décollage. S'il leur fallait se cacher à un moment crucial et que Spoilt faisait une attaque, Junk se jurait de l'étouffer ; il en profiterait sans doute aussi pour brûler sur place l'épouvantable tee-shirt rouge à tête de mort verdâtre que cet avorton croyait cool de porter.

Mais Wresh avait refusé de partir sans son petit ami, comme d'habitude. C'était presque impossible de l'en décramponner. Dans la Poubelle, elle ne pouvait se résoudre à le perdre de vue une minute. Alors dehors, c'était pire. On se demandait ce qu'elle pouvait lui trouver, à ce rat de Spoilt, jolie et futée comme elle était. Trash avait laissé tomber « instinct maternel » du bout des lèvres, un jour où Junk s'était posé la question à voix haute devant elle.

Et puis les trois autres Ingés, pas mieux ! Crap, le frère jumeau de Shift, la grande Shabby et le gros Spent : trois gamins même pas foutus de lacer leurs chaussures correctement, quand ils en avaient. OK, cette bimbo blonde de Shabby montrait de sérieuses aptitudes au close-combat. Et elle avait la même capacité de se donner à fond que son petit frère Worm. Cependant, ces derniers temps, l'effet que sa poitrine naissante produisait sur les mâles du groupe semblait l'unique priorité de la jeune fille. C'était d'ailleurs à cause de cela qu'on ne lui avait confié que le sac contenant l'eau et un peu de ravitaillement. Si Shabby le perdait, ce serait le plus facile à remplacer.

Pourtant, comme elle avait également une compréhension instinctive du Net, Trash l'avait prise sous son aile en même temps que deux ou trois autres filles. La Chef tentait de leur transmettre ses connaissances si précieuses pour les Tramps ; par exemple, en surfant intelligemment, on pouvait connaître les horaires d'arrivée des camions parisiens aux décharges, ce qui leur donnait un sacré avantage sur les autres gangs moins bien renseignés. Si Shabby parvenait à égaler son professeur, ce serait une bénédiction quand...

Tout en continuant à courir, Junk écarta résolument la pensée *Quand Trash ne sera plus là pour...* et reporta son attention sur les gosses éparpillés, et particulièrement sur Crap. Le gamin, portrait craché de son jumeau, s'en distinguait complètement par son humeur aussi sombre que leur peau. Il portait le fourre-tout contenant les « finances », les quelques marchandises que le groupe aurait éventuellement besoin de troquer contre des services pendant leur périple. Shift et le gros Spent aux dreadlocks vertes étaient chargés de le protéger ou de le remplacer si besoin était.

– Fachte ! jura Spent en s'étalant dans le dos de Junk avant de se relever d'un air penaud et de lancer un coup d'œil terrorisé à son Chef.

Junk se contenta de soupirer. Le garçon venait d'une cité du sud de la France durement éprouvée par un terrible tremblement de terre. On n'avait jamais su comment il avait pu parvenir jusqu'à Saint-Denis, ni pourquoi il avait entrepris un aussi périlleux voyage : les premiers temps, dans la Poubelle, il était resté muet, et seule Trash parvenait à l'approcher. En tout cas, à cause de son accent bizarre, personne ne le prenait au sérieux. Quoi qu'il dise, on rigolait d'office.

Junk vit une tignasse rousse se dissimuler sous une bâche couverte de résidus noirâtres. Mud, le nouveau, avait déjà perdu son turban protecteur. Le Second fronça les sourcils, il se demandait encore ce qui lui avait pris de le choisir, celui-là. Enfin, dans son battle-dress emprunté à Junk, le gosse avait l'air moins ridicule que la veille, c'était déjà ça ; Mess, une jeune Asiatique élancée, le rejoignit une seconde plus tard. La Trousse des Derniers Secours, comme on l'appelait, ballottait sur ses épaules minces. Pas trop nulle, celle-là, bonne infirmière lorsqu'il s'agissait de refermer une plaie, excellente avec un couteau, mais parfois extravagante à un point incroyable !

Allons, ça ne se passait pas si mal pour l'instant : tout le monde avait réussi à quitter les abords de la Poubelle avant que les caméras ne retrouvent la vue. Soudain, les pales d'un hélico-taxi hachèrent l'air. Junk leva la tête. Il descendait sacrément bas, le pilote ! Le garçon pouvait presque apercevoir le logo eurasiatique sur le casque étincelant.

C'était un gros risque de voler si près du sol. Mais sans doute que le passager avait exigé de voir les environs.

Les Euraz aimaient contempler l'horreur voisine de leurs nids si confortables. Junk avait même entendu parler d'un gang qui faisait « visiter » la banlieue à quelques gros riches que l'« aventure » amusait. Le colosse serra les dents : lui, il les aurait abandonnés nus aux chiens sauvages, ces « touristes » venus se repaître de la misère et la désolation.

Une rafale brève de mitrailleuse jaillit des affûts de l'hélico.

Merde, c'est un de ces foutus « chasseurs » !

Le pilote avait sans doute repéré un Tramp et son client avait dû demander à faire un carton sur un gangboy avant de rentrer. Il y eut une seconde rafale, puis plus rien. Pas même un cri. Le type avait loupé sa cible.

Heureusement qu'ils shootent comme des pieds, ces malades !...

Junk jeta un nouveau coup d'œil autour de lui, aucun gamin n'était visible. Il se tapit autant qu'il le put sous le renfoncement d'acier d'un container éventré et s'érafla le crâne sur une arête vive. Il jura sourdement entre ses dents. Il devenait trop grand et trop lourd, cela finirait par le handicaper pour les sorties.

Trash déboula dans ses pieds, le faisant sursauter. Avec le bruit de l'hélico, il ne l'avait pas entendue arriver. S'il avait été parfaitement honnête avec lui-même, il aurait reconnu que de toute façon la jeune fille était trop douée pour se faire repérer, même par lui. Trash se gratta la tête. Le turban gris maculé d'antiques taches de peinture dont elle avait couvert sa natte la démangeait. Elle frotta ses mains poissées de sueur sur sa combinaison encore argentée par endroits. Cette combi de cuir, c'était Junk qui l'avait dénichée un soir dans une décharge. La jeune femme prétendait que c'était un très bon camouflage, qu'on pouvait la confondre avec un morceau de métal quelconque. Elle refusait net d'avouer qu'elle se trouvait jolie dedans.

L'hélico se perdit dans le lointain. Les deux jeunes gens échangèrent un regard et se remirent à courir en même temps, l'un à droite, l'autre à gauche, en zigzag, s'orientant vers la gare grâce aux flèches de la basilique sous Bulle. Le point de rendez-vous se trouvait de l'autre côté.

Un staccato déchira l'air gelé. Des rafales de tirs. Quelqu'un s'était approché trop près du dôme et avait déclenché un déluge automatique de balles. Junk tendit l'oreille pour percevoir le cri qui ne pouvait manquer de suivre. Mais rien. Les tirs s'arrêtèrent aussitôt. C'était rare que les Kalachs dirigées par les ordinateurs de la cité ratent leur cible.

OK, ça devait être Trash. Sinon un blessé hurlerait déjà quelque part. Elle, elle s'en était sortie, bien sûr. Dans ses balades régulières à travers le réseau de surveillance, la jeune femme avait appris par cœur chaque angle de visée et surtout chaque point mort du système. Elle s'y promenait physiquement, comme elle surfait sur le Net, en se jouant. Un jeu très dangereux, un jeu avec les Bleus et la mort, un jeu qui faisait gémir Junk d'angoisse.

Mais il ne disait rien.

Il n'avait jamais pu. Le vocabulaire lui manquait pour exprimer ses sentiments. Il savait seulement la serrer contre lui dans ses gros bras noueux. Et lorsqu'il parvenait à traduire son inquiétude en quelques mots maladroits, Trash souriait, lui balançait un ou deux arguments bien sentis. Alors, il se retrouvait tout bête, incapable de répliquer. Et encore, ça, c'était quand elle était d'humeur à discuter. De plus en plus fréquemment ces derniers temps, elle lui imposait le silence d'un regard noir; il se soumettait sans oser insister.

La grande Shabby passa en courant devant lui. Sa trajectoire était trop prévisible, elle risquait de se faire repérer. Junk se secoua. Ça ne lui ressemblait pas de s'inquiéter ainsi. Mais son angoisse augmentait à mesure qu'approchait le moment où il devrait reprendre seul le commandement des Tramps. Enfin, s'il restait quelque chose à diriger après ce fichu rendez-vous avec Markus qui puait comme cent mille décharges. Et surtout s'il arrivait à tenir sa promesse à Trash. Mais comment lui dire que, elle disparue, il n'aurait plus envie de rien? Surtout pas de s'encombrer de cette horde de mômes qu'elle avait adoptés?

Une balle de Kalach le rappela brutalement à la réalité, creusant un trou gros comme le poing au-dessus de sa tête. Le vieux container rouillé n'arrêtait même pas un souffle de vent, alors une balle traçante! Junk s'accroupit et rampa hors de son piteux abri en jetant un rapide coup d'œil alentour. Il repéra l'arme pointée sur lui, vissée sur un poteau d'acier à un mètre quatre-vingt-dix de hauteur. Heureusement, les Bleus avaient conçu leur système de défense pour faire face à des attaques d'adultes. Même en tournant leurs affûts au plus bas, les armes n'avaient pas un angle de visée satisfaisant pour aligner un gosse tapi au sol. Ce qui était tout à l'avantage des Tramps... sauf dans le cas de Junk.

Il rampa lentement pour contourner le petit œil menaçant qui tentait désespérément de verrouiller sa cible. Il y eut un second tir ; une onde brûlante parcourut son épaule gauche. Une seconde plus tard, un liquide tiède coula doucement dans son cou. Merde ! Il devenait vraiment trop grand, son épaule avait franchi la frontière invisible où les angles de tir redevenaient efficaces.

La balle n'avait fait que lui effleurer la couenne, mais ça faisait un mal de chien. En serrant les dents, il continua d'avancer, se décalant lentement sur la droite pour s'éloigner de la ligne de feu automatique. Il finit par arriver dans un endroit à peu près protégé. Trash, Wresh et Mud s'y trouvaient déjà, serrés les uns contre les autres sous la carcasse d'un trente-huit tonnes renversé des décennies auparavant. Tout le monde était trempé de sueur et de neige boueuse. Ils pataugeaient dans une mare d'huile minérale figée dans laquelle leurs semelles s'engluaient.

Les tirs avaient cessé, c'était déjà ça.

Trash désigna le squelette de l'ancienne gare du RER. Il y avait une éternité que les trains avaient cessé de circuler dans le coin. Le vieux bâtiment éventré n'était plus utilisé que par les laissés-pour-compte des gangs qui s'y réfugiaient temporairement.

Les autres Tramps les rejoignirent. Junk les compta : neuf, plus Trash. Aucun n'avait été touché, sauf lui. La honte ! Mess avait l'air bizarre, la Trousse des Derniers Secours à l'épaule, recroquevillée dans sa veste de treillis qui faisait une petite bosse étrange sur son ventre, mais elle ne semblait pas blessée. Au contraire, les yeux noirs de la jeune Asiatique brillaient d'excitation contenue et ses joues étaient rouges de plaisir. Visiblement, elle adorait la sortie, cette inconsciente !

Junk s'approcha d'elle pour montrer son épaule ensanglantée. Mess prit aussitôt un air très ennuyé et, après quelques contorsions étranges, comme si elle voulait à toute force garder sa veste fermée, elle parvint à sortir un pansement cicatrisant de sa trousse. Junk l'appliqua lui-même, serrant les dents tandis que le baume rose dont le pansement était enduit se fondait à la blessure en chuintant.

Courbant l'échine, les Tramps se faufilèrent vers l'entrée en prenant soin de n'être pas visibles depuis la Bulle. Une fois dans la bâtisse, ils se redressèrent. Ils entouraient Trash comme un rempart, ne laissant aucune possibilité à un sniper de l'atteindre. Junk prit la tête du petit groupe et ils s'enfoncèrent dans les escaliers menant aux voies souterraines.

Le premier niveau était désert. Il y régnait une pénombre crasseuse et humide, traversée par quelques rais de lumière jaunâtre qui sourdaient des brèches du plafond. Même le soleil ne parvenait pas dans le sous-sol sans se salir.

Au deuxième niveau, deux adolescents hâves les regardèrent arriver sans esquisser un geste dans leur direction. Ils se réchauffaient autour d'un feu nauséabond qui éclairait un peu cet endroit sordide. Junk inspira la fumée avec précaution et échangea un regard avec Trash. Elle hocha la tête et fit signe au groupe de s'arrêter. Le colosse s'approcha des deux gosses, les mains bien en vue. Malgré tout, ils eurent un mouvement de recul. Junk était très impressionnant ; les isolés avaient appris à craindre tout ce qui venait des gangs.

– Vous avez foutu quelle saloperie dans votre feu ? grommela Junk à leur adresse.

En tremblant, l'un des adolescents, peut-être une fille – mais Junk n'en aurait pas juré, au vu de sa maigreur et de la couche de crasse qui le recouvrait –, désigna un tas de bidons en plastique aux étiquettes délavées. Junk jeta un œil sur l'amas hétéroclite.

– Faites pas brûler ça ! grogna-t-il à nouveau. Ce sont des solvants, ça va vous rendre malades.

L'adolescente ricana, découvrant des gencives édentées et noircies :

– Vous voulez nous les piquer, c'est ça?

– Nous sommes des Tramps, chez nous personne se came. La Chef l'interdit, expliqua-t-il.

Le garçon, de son côté, haussa les épaules et se pencha sur la fumée noire, inspirant avec force.

– Si vous voulez vous asseoir avec nous, faudra payer, se contenta-t-il de dire d'une voix éteinte.

Il leva à peine ses pupilles chavirées vers Junk. Ce dernier soupira. Inutile de gaspiller sa salive. Ces deux-là n'en avaient plus pour longtemps, vu ce qu'ils ingéraient. De plus, se défoncer si près de la Bulle était un très mauvais plan, car les Bleus effectuaient régulièrement des sorties. Ils raflaient ceux qu'ils trouvaient et Junk n'avait jamais entendu parler de quelqu'un cueilli par les flics qui soit revenu pour en parler. Il fit demi-tour et rejoignit la bande, sans un regard en arrière. Ils entamèrent la troisième volée d'escaliers.

Tapi sur un palier devant un antique brûleur à gaz, un vieillard tremblant mais au regard encore vif sous la frange grasse de ses cheveux gris les apostropha :

– Vous allez faire du shopping en ville, les mômes?

Trash tourna la tête vers le vieux et sourit en le reconnaissant. C'était l'un de ses informateurs extérieurs ; elle l'avait invité plusieurs fois à les rejoindre dans la Poubelle. Mais le vieil homme était un solitaire dans l'âme et refusait net l'idée de se plier à l'autorité de quiconque. Pour cette raison, entre autres, Trash manifestait envers lui un profond respect.

– Tu veux qu'on te rapporte un truc, Gérard? demanda-t-elle presque gentiment.

– Ouais, une minijupe à volants bleus, ironisa le vieil homme.

Junk secoua la tête, agacé. Ils perdaient du temps. Le vieux le sentit :

– Sans rire, j'aurais l'usage d'une cartouche de gaz de rechange, petite.

Il désigna le brûleur où il réchauffait un ragoût indéfinissable.

– Je ne crois pas qu'on aura le temps de passer aux Fournitures, répondit-elle en faisant référence à un comptoir d'échange presque officiel qui se trouvait en bordure de la capitale, près d'une porte de Paris. Mais on essaiera, juré. Salut, vieux brontosaure râleur...

– Salut, petite. Sinon, je suis pas sûr de savoir où tu vas comme ça, mais fais gaffe : on m'a dit que ça bouge beaucoup dans les Bulles du coin. Les Bleus ont renforcé les patrouilles, à c'qui paraît... Et puis les BloodKlans s'enhardissent aussi. Ils font des sorties de plus en plus fréquentes et ils vont jusqu'à buter leurs victimes sur place et en plein jour.

Trash sursauta :

– Même ici? Ils n'ont plus peur des gangs, ces tarés?

– Ça m'en a tout l'air. Ils se faufilent au cul des patrouilles et les Bleus les laissent faire. Z'ont beaucoup de sympathisants chez les flics, ces jeunes salopards.

Trash eut un frisson. De toutes les plaies dont ce monde pourri était affligé, il lui semblait que les BloodKlans étaient les plus exécrables. Ces bandes extrémistes, composées de jeunes Euraz désœuvrés, prétendaient faire œuvre de salubrité publique et se substituer à l'administration municipale défaillante des Bulles. Selon eux, la seule solution pour éradiquer l'épidémie de Nada4 consistait à se débarrasser des malades eux-mêmes. Et ils ne faisaient pas de détail : si au passage ils pouvaient choper un gamin des gangs en parfaite santé, il y passait aussi, ça faisait de la vermine en moins.

Avant, les BloodKlans se contentaient de commettre leurs exactions aux abords immédiats de leurs cités protégées. C'était une sacrée mauvaise nouvelle s'ils commençaient à sillonner les banlieues.

– On fera attention, je te le promets, répondit-elle à Gérard d'une voix lente avant de se détourner pour s'en aller.

– Hé, petite ?

– Quoi encore ?

– Si le clébard, c'est pour le bouffer, c'est pas une très bonne idée, tu sais... Ils mangent trop de cochonneries, y sont contaminés jusqu'à l'os, ces bestiaux...

– Hein ?

Quel clébard ? Il a totalement perdu la boule, le vieux ! pensa Junk.

– Ben, votre clebs, là, celui de la chinetoque...

La bande se tourna d'un coup vers Mess qui recula devant le feu croisé des regards. La petite Asiatique rougit puis pâlit :

– Je l'ai trouvé tout à l'heure dans un container ! Il était tout seul... balbutia-t-elle. Il est si mignon !

De la veste de treillis dépassait une petite truffe noire et brillante. C'était un chiot de quelques semaines, au long poil blanc et noir, et aux oreilles comiquement dressées. Il se hissa pour coller un coup de langue rose dans le cou de Mess, avant de jeter un œil noisette et amical aux Tramps sidérés. Il jappa avec enthousiasme. Junk eut un grognement. Voilà pourquoi cette écervelée avait l'air si contente tout à l'heure !

– Trash ! Un salaud de clébard m'a coursé hier, avant que j'arrive à la Poubelle. Il s'est vautré sur les pieux de la piscine ! intervint Worm. Ça devait être son chiot.

Trash hocha la tête et dit d'un ton raisonnable, mais froid :

– Messy, cette chose *si mignonne* est une bête sauvage. Dès qu'il sera grand, il va nous bouffer un par un. Sans compter qu'on ne peut pas l'emmener avec nous, il va nous gêner.

– Je suis sûre qu'on peut... Avant, on les apprivoisait, n'est-ce pas ? insista Mess d'une voix tremblante. Il est tout petit !

Elle acheva sa phrase d'un ton suppliant. Shabby joua furieusement des coudes pour se porter au premier rang, sous le nez de Mess :

– Pas question ! Ça mange de la viande, ces saloperies ! Tu vas lui donner ta part ? cracha la grande blonde, une rage folle au fond des yeux.

Worm se rapprocha de sa sœur. Il savait ce qu'elle ressentait. Lui n'en gardait aucun souvenir, mais Shabby, elle, avait vu les crocs sanglants se refermer sur le corps inerte de leur mère. Shabby se tourna vers Trash et siffla :

– Tu vas pas accepter ça, hein, Chef ?

Junk plissa les yeux, mi-amusement, mi-agacement. Il échangea un coup d'œil complice avec le vieux Gérard. Shabby avait choisi la pire des façons pour se faire entendre. Trash la considéra un instant :

– Tu me donnes des ordres, Jolie-Jolie ?

La grande blonde recula devant le regard glacé de sa Chef, mais c'était trop tard. Trash se tourna vers Mess :

– Tu peux le garder. Mais je te préviens, petit a, tu es responsable, tu paieras pour lui, il mangera sur ta part. Petit b, s'il nous gêne une seule seconde, c'est toi qui le tueras. C'est clair ?

Mess considéra le chiot qui venait à nouveau de se lover dans sa veste. Elle acquiesça tandis qu'il se rendormait contre elle. Un doux sourire éclaira à nouveau les prunelles de jais de la jeune fille.

– Oui, Trash, souffla-t-elle avec ferveur.

Le vieux Gérard éclata d'un rire sonore :

– Bon, vous pouvez pas l'emmener, là où vous allez. Trash, je te baby-sitte ton gangdog et tu me fais une remise sur la cartouche de gaz, ça marche ?

Trash échangea un regard avec Junk qui haussa les épaules. Il ne voulait rien avoir à faire avec cette histoire idiote, bien dans le genre de Mess. Il intervint toutefois :

– Mess payera la remise sur la cartouche, c'est son clebs...

Les deux Chefs se tournèrent vers Mess, qui acquiesça en grattouillant le petit museau. Avec un soupir, elle délogea son protégé de son giron et le tendit au vieux vagabond.

– T'inquiète, petite, j'en prendrai soin. J'en ai eu un autrefois.

Le vieillard laissa tomber ces derniers mots d'une voix lente, chargée d'un regret indéfinissable.

– Salut, Gérard, fit Trash, coupant court aux adieux.

– Salut Trash, fais attention à tes gars, et à toi, surtout...

La bande s'ébroua et s'engouffra dans les escaliers sur les talons de sa Chef. Mess ne put s'empêcher de se retourner tant que Gérard restait en vue. Le bonhomme, penché sur la petite bête blottie dans sa vieille veste de coutil, semblait lui chuchoter de douces paroles. Ce spectacle rasséréna Mess, qui s'enfonça à son tour dans la pénombre.

L'obscurité devenait de plus en plus épaisse. Worm alluma une lampe torche. Spoilt et le gros Spent firent de même de leur côté et se placèrent en fer de lance à l'avant du groupe. Ainsi, si un tireur isolé les attendait au détour d'un couloir, il ne pourrait dégommer que les trois porteurs de torche. Le reste du groupe demeurerait caché dans le noir.

– Halte ! cria-t-on soudain devant eux. Je veux vous voir dans la lumière, tous !

Les trois porteurs de lampe reculèrent afin que le groupe devienne visible pour celui qui les avait interpellés. Tous tendirent les mains en avant afin de montrer qu'ils n'avaient pas d'armes.

– Oh ! des Tramps, fit la voix d'un ton à la fois rassuré et méprisant... Vous allez où je pense, les mecs ? En tout cas, vous êtes pas les premiers.

Trash fila un coup de coude à Shabby, qui s'apprêtait à répliquer qu'il n'y avait pas que des mâles dans le gang, et lui souffla :

– C'est un Caviste. Je te déconseille d'annoncer à ce type appartenant à un gang spécialisé dans la prostitution qu'il y a des filles parmi nous.

Shabby se faufila vivement derrière sa Chef, non sans tirer la langue à Worm qui lui lançait des regards lourds de reproches informulés. Le garçon adorait sa grande sœur, mais l'inconséquence de celle-ci lui donnait souvent l'impression que c'était lui l'aîné.

– On va où on veut, connard ! lança Junk. Combien pour le couloir...

Il s'interrompit net. Trash venait de le saisir par la manche et de lui murmurer quelque chose à l'oreille.

– ... le couloir 6, reprit-il, masquant avec difficulté la surprise dans sa voix.

On s'étonna aussi en face:

– Le 6? Z'allez pas à Paris?

– Combien? insista Junk.

– OK, t'énerve pas. Faites voir ce que vous avez!

Junk appela Crap d'un mouvement de menton. Le jeune métis, son jumeau comme une ombre sur ses talons, les rejoignit et ouvrit le sac des finances. Il étala les diverses marchandises sous le faisceau de la lampe de Worm.

Il y avait un clavier d'ordinateur dont il avait fallu remplacer quelques contacteurs, une batterie de CellComputer, une dynamo destinée à alimenter les phares d'un vélo, quelques circuits imprimés remis en état par Junk lui-même...

Leur observateur invisible sortit de la niche où il s'était dissimulé pour se pencher vers les divers objets. Le jeune homme aux cheveux hirsutes et fraîchement teints dans un orange improbable sélectionna une carte vidéo parmi les circuits imprimés, ainsi que la petite dynamo.

– Ça ira pour l'aller. Qu'est-ce que vous proposez pour le retour?

– On verra quand on reviendra, grogna Junk.

– Si vous revenez... ricana le Caviste.

Trash, qui s'apprêtait à emprunter la voie désormais libre, se retourna et dit d'un ton sec:

– On a plus de chances de revenir que toi de survivre à tes teintures...

Et elle tourna les talons.

– Hein? Qu'est-ce qu'elle a dit? fit le garçon, surpris.

Junk lui jeta au passage:

– Elle a dit que si tu continues à te fournir chez le salopard que nous pensons, t'as pas intérêt à sortir souvent en plein jour...

Il suivit Trash sans rien ajouter. Perplexe, la sentinelle arrêta Spent par la manche et l'interrogea du regard:

– Ta teinture est photosensible, couillon de diou! grogna le Tramp avec son accent chantant. Si tu sors en plein jour sans turban, c'est pas un mélanome que tu risques, c'est une brûlure au troisième degré.

Il se dégagea de l'étreinte du gangboy et la bande s'enfonça en riant à la suite de ses Chefs, laissant le malheureux effondré.

CHAPITRE 4

Il faisait tiède dans les couloirs. Aussi tiède qu'humide et sombre. Les pinceaux lumineux des lampes dansaient sur le chemin semé d'embûches en tout genre : rails tordus, débris hétéroclites, flaques profondes, restes démembrés d'antiques wagons et amas inégaux de ballast poussiéreux.

Junk ouvrit son blouson de vieux cuir fauve râpé aux épaules et se débarrassa de son turban protecteur. Il commençait à avoir trop chaud. D'après Trash, la température était due au fait qu'ils passaient sous la Bulle de Saint-Denis. La climatisation de la cité protégée déversait ses excédents de chaleur dans le labyrinthe des couloirs à travers un réseau d'aérations plus sécurisé encore que les barrières extérieures. Depuis quelque temps, Junk rêvait à un moyen de capter cette chaleur inutilement gaspillée, mais pour ça il faudrait un accord avec les Cavistes – le gang régnait sur l'entrée des couloirs du RER désaffecté, la meilleure voie d'accès vers la capitale. Le Second n'aimait pas ce clan trop discret à la sale réputation, même dans les décharges.

– Pourquoi on prend le 6 et pas le 5? Le 5 est plus court et plus sûr! finit par maugréer Junk après un long silence.

Il y eut un temps d'arrêt dans le concert de halètements et de jurons qui émaillaient la progression difficile de la bande sur ce terrain incertain. Les Tramps tendirent l'oreille pour écouter la réponse de Trash:

– Tu l'as entendu, l'autre, le Caviste?

– Ouais, il nous a demandé si on allait à ce rendez-vous de merde, comme tous les autres connards.

– Justement! Tous les gangs passent par le couloir 5. Et je n'aime pas l'idée de suivre leurs traces. Un gang pourrait très bien nous tendre une embuscade, histoire de se débarrasser de deux ou trois d'entre nous avant la réunion de Markus.

– J'suis con, j'y avais pas pensé.

– Mais non, Junkie Junk, tu n'es pas con, mais moi je suis parano. Et si ça se trouve, je nous fais prendre des risques stupides et inutiles pour éviter une menace fantôme.

Trash lui donna une petite tape sur l'épaule, il se redressa, comme rechargé en énergie par ce contact fugace. Dans leur dos, les respirations, brièvement interrompues, reprirent. La grande Shabby se porta au niveau des deux Chefs.

– Trash? s'enquit-elle d'un ton boudeur.

– Oui, Jolie-Jolie?

Trash appelait parfois les filles comme ça. Surtout quand elles la dérangeaient. Junk n'avait jamais su pourquoi. Il se doutait que ce n'était pas une marque d'affection, car ça venait de son père. C'était à cause de ce fumier et de ce qu'il lui faisait subir qu'elle avait fui l'enclave luxueuse et protégée de Paris. Hélas, elle ne lui avait échappé que pour tomber sur ses violeurs, à peine sortie de la Bulle.

Parfois, dans ses songes les plus sanglants, Junk rêvait qu'au détour d'une expédition dans Paris il croisait cette ordure et lui faisait sa fête. Mais Trash n'avait jamais donné ni le nom ni le signalement de son père. Ce rêve resterait ce qu'il était : une illusion vengeresse qui donnait souvent à Junk l'envie de hurler de frustration.

– On va faire comment après le 6, Chef? insista Shabby. Il débouche sur un check point, d'après les plans. On peut pas passer par là! Les soldats vont nous tirer comme des pigeons!

Shabby parlait avec animation et sans la crainte révérencielle de la plupart des Tramps envers Trash. Cela agaçait bien un peu Junk, mais il comprenait que le travail réalisé en commun sur les deux ordis du gang les avait rapprochées. Et Shabby était assez intelligente pour ne pas dépasser les bornes avec sa Chef.

Trash haussa les épaules :

– Il est impossible de traverser un check point, c'est sûr. En revanche, le 6 donne sur autre chose et tu devrais le savoir, Jolie-Jolie, on s'est assez tapé les plans des sous-sols sur les réseaux, toutes les deux...

Shabby stoppa net son avancée, si bien que le gros Spent qui marchait derrière elle la percuta involontairement. Le garçon jura copieusement :

– Bonne mère, tu peux pas faire attention ?

Shabby l'ignora et répliqua à l'intention de Trash :

– Les vieilles mines, puis les égouts ? Tu veux qu'on passe par là ? C'est de la folie !

– Shabby... chuchota Junk d'un ton menaçant.

– Laisse, Junkie Junk... lâcha froidement Trash en se tournant vers la sœur de Worm. Tu as une grande gueule, Jolie-Jolie, aussi grande que toi. Faudrait apprendre à la fermer si tu veux traverser les égouts sans encombre. C'est possible. On l'a déjà fait, Junkie Junk et moi. Ton frère l'a fait aussi, des dizaines de fois. Mais en silence !

Matée et piteuse, Shabby reprit sa place dans la file. Il se passa dix bonnes minutes sans que personne ouvre la bouche. Seuls des soupirs sporadiques ou les jurons étouffés de celui qui venait de heurter un obstacle invisible perturbaient le silence revenu. Des pinceaux de lumière trouaient l'obscurité en dansant brièvement sur le sol et les parois. Parfois, on entendait un bruit d'eau dans le lointain, mais ce son familier disparaissait aussi mystérieusement qu'il était apparu. Une brise chaude comme une haleine faisait sécher la transpiration sur les fronts plissés.

Mud trébucha une fois de trop contre ce teigneux de Spoilt qui l'envoya bouler sans douceur sur un mur hérissé d'aspérités. Le gosse ne gémit pas et continua à marcher sans se plaindre. Toutefois, il remonta le groupe jusqu'à Trash et Junk. Une fois à côté d'eux, il tenta d'ouvrir la bouche à plusieurs reprises. Une question lui brûlait les lèvres, pourtant il n'arrivait pas à la formuler.

– Ouais? Tu veux quoi, gamin? articula posément Junk, à qui le malaise de son voisin n'avait pas échappé malgré la pénombre.

Mud inspira un grand coup:

– Qu'est-ce qu'il y a dans les égouts, m'sieu Junk?

Junk hésita, stupéfait devant l'ignorance du môme et répugnant à lui répondre. Finalement, il laissa tomber du bout des lèvres:

– Des vieux...

– Des quoi, m'sieu?

– Des adultes. Comme tes parents...

En moins crétins, pensa Junk, mais cela il le garda pour lui, en ajoutant:

– Des mecs lourdés de leur dortoir parce qu'ils avaient perdu leur boulot et qu'on allait virer de la Bulle...

– Ben quoi? C'est la règle... On n'a pas le droit de rester en ville quand on n'a pas de boulot ou qu'on est trop malade.

– Ouais, ben y a des gens qui ont pas envie d'aller se frotter aux gangs, dehors. Alors, ils se cachent dans les égouts avant qu'on les éjecte. La vie y est pas plus simple, mais au moins il fait pas froid et les gangs font qu'y passer...

Mud se tut quelques secondes pour digérer l'information.

– Mais si ce sont des vieux comme mes parents, pourquoi Shabby elle a peur?

Junk soupira avec lassitude.

– Parce que la viande est rare quand t'as pas accès comme nous aux rebuts des abattoirs balancés dans les décharges... Qui plus est, ces vieux sont presque tous contaminés par le Nada4, figure-toi. Et certains d'entre eux adorent refiler leur saloperie aux gens...

Junk n'eut pas besoin de fouiller l'obscurité du regard pour percevoir la réaction de Trash. Celle-ci, à l'énoncé de sa maladie, s'était tendue plus encore, si cela était possible.

De son côté, Mud essayait de comprendre l'histoire de la viande... Sa longue frange rousse pendouillait devant son regard bleu perplexe. Lorsque la compréhension se fit jour dans son esprit, il lâcha un couinement d'horreur. Un abîme s'ouvrait sous ses pieds, il lui semblait que, depuis qu'il avait quitté le cocon protecteur et gris des dortoirs des employés, il s'enfonçait dans la terreur. Il s'immobilisa net, paralysé de peur, se demandant quand cela s'arrêterait. Le petit Worm lui prit le bras un court instant et, braquant brièvement sa torche sur son propre visage, lui fit un clin d'œil rassurant. Mud sourit avec reconnaissance à son chétif compagnon, se réchauffant un instant à l'amicale lueur des prunelles noisette, et se remit en marche.

– T'inquiète, lui murmura Worm à l'oreille. Les vieux sont dangereux parce qu'ils ont faim et pas grand-chose à perdre, mais ils tiennent suffisamment à leur peau pour pas attaquer un gang en mission. Ils savent qu'on est le plus souvent armés...

– Et nous, on l'est? Armés? fit Mud d'une toute petite voix. J'ai pas vu le moindre gun dans le sac de Crap.

Worm lui tapota l'épaule en signe d'encouragement.

– On va l'être, pas de panique. Dans pas très longtemps...

Trash s'arrêta brutalement au moment où le petit terminait sa phrase. Elle resta immobile quelques instants, aspirant l'air à petites goulées. Junk se tenait à côté d'elle, les bras ballants.

– Alors? chuchota-t-il.

– Les armes ne sont pas loin, fit-elle en reniflant, et on n'y a pas touché, je sens la graisse d'ici.

De plus en plus perplexe, Mud tira sur la manche de Worm, en quête d'une explication. Mais ce fut Wresh, la petite amie de Spoilt, qui répondit à sa place:

– Tout le monde planque des armes dans les tunnels. C'est une cache qu'on a dégottée, y a pas longtemps. On les y a laissées.

– Hein ? Mais pourquoi ?

Mud ne comprenait plus rien. Lui, il se serait empressé de s'en barder comme un soldat de métier, dès sa sortie du repaire des Tramps.

– Parce que faire passer le péage des Cavistes à une demi-douzaine de Kalachs, même de rebut, c'est un coup à se les faire piquer, rétorqua la jeune fille sèchement.

– Mais y en a plein à l'armurerie de la Poubelle !

– Ouais, ben elles y restent pour défendre l'abri, mon pote !

Trash et Junk précipitèrent l'allure jusqu'à l'intersection de deux couloirs. Spent éclaira la paroi. De petites niches s'ouvraient là où des projecteurs avaient dû éclairer l'endroit autrefois.

– C'est celle-là, dit Trash à Junk, désignant une cavité plus profonde que les autres.

– Worm ? fit Junk.

Ce dernier s'approcha et Junk le saisit à la taille avec ses larges pognes. Il souleva le gamin sans effort jusqu'à la niche. Worm se faufila, rampant et jouant des coudes. Le gosse farfouilla un instant, sa main rencontra la poignée d'un grand sac souple qu'il tira vers lui pour qu'il tombe droit dans les bras de Junk, puis il redescendit par ses propres moyens. Les Tramps firent cercle autour du colosse. Shift le premier s'empara d'un M30 étincelant, un fusil longue portée que personne ne songea à lui contester. Seul le minuscule métis était capable de le manier avec efficacité. Sur un signe du gamin, Crap, son frère, enfourna des chargeurs supplémentaires dans son sac à dos tandis que Spent, Wresh, Spoilt, Mess, Worm et Shabby attendaient leur tour. Mud demeura en retrait, indécis.

Trash choisit un automatique muni d'un silencieux et de balles de petit calibre. Elle inséra un chargeur supplémentaire dans une poche de sa combinaison gris sombre. Elle ne se chargea pas plus car, au fond, le tranchant de ses paumes et son razor restaient ses grands favoris. Elle n'aimait guère les armes à feu.

Junk s'octroya la même arme que la sienne. Après une seconde de réflexion, il pêcha également dans le sac une demi-douzaine de petits blocs gris semblables à des dés de pâte à modeler verte : du C8, un explosif surpuissant mais inerte tant qu'on ne le couplait pas avec son détonateur. Le péché mignon de Junk !

Worm se glissa discrètement entre ses aînés, s'arrangeant pour être servi avant eux. Il s'arrogea un Tazze, petit revolver électrique sans recul, capable de projeter des décharges mortelles ou incapacitantes à plus de cinq mètres. Trash tendit des CellComputers de poche à Wresh et Shabby qui s'en emparèrent avec empressement. Junk leur donna ensuite de vieilles Kalachs peu discrètes mais efficaces. Il en passa également aux autres qui s'en montrèrent fort satisfaits. Rien que le poids et la taille de l'arme étaient rassurants : on se disait que l'ennemi potentiel hésiterait à deux fois avant d'attaquer quelqu'un muni d'un monstre pareil.

– Tu prends rien? chuchota Worm à l'adresse de Mud, toujours bras ballants, à l'écart de ses camarades.

– Je sais pas me servir de ça, fit le gosse avec un soupir de regret tout en désignant les Kalachs.

– Ben, prends un Tazze comme moi! Hé, Junk? Le nouveau, il a rien!

Junk retira un second Tazze du sac et le jeta à Mud qui le laissa tomber, évidemment. Personne ne fit de réflexion, mais Mud fut très heureux que l'obscurité camoufle ses joues brûlantes de honte.

On rangea le sac et le surplus d'armes au même endroit, puis le groupe reprit sa progression. Il y eut quelques échanges de plaisanteries et on commença à chuchoter dans le dos des Chefs. Armés, les Tramps étaient soudain plus sûrs d'eux, plus à l'aise. Même Mud, qui n'était pourtant pas certain de savoir utiliser son Tazze, se sentait mieux. Surtout quand Worm se faufila à côté de lui pour lui expliquer le fonctionnement de l'arme.

Une petite heure se passa ainsi, jusqu'à ce que le gang traverse un puits de lumière provenant d'une grille d'aération assez loin en surface. Là, tout en désignant une volée d'escaliers qui s'enfonçait sur la gauche, Trash imposa à nouveau le silence à sa bande. Ces escaliers menaient aux antiques champignonnières abandonnées du Nord parisien. L'entrée des égouts n'était plus très loin.

CHAPITRE 5

Le silence et l'obscurité – à peine trouée par les faisceaux des torches – pesaient lourdement sur tous. L'oreille aux aguets, les Tramps descendaient les marches gluantes avec précaution. On était bien loin de la légère euphorie survenue après la distribution d'armes. Les nerfs tendus comme des câbles, sursautant au moindre bruit inattendu, Junk respirait mal. Il haïssait ces boyaux trop étroits et trop bas pour lui, dont les parois semblaient se rapprocher pour mieux l'écraser. Sa mèche unique s'accrochait sans cesse aux menues aspérités des pierres du plafond. Il se résigna à remettre son turban tandis que Trash et les autres se glissaient entre les murailles comme des couleuvres. Il n'avait jamais autant maudit sa haute taille.

L'air devenait de plus en plus tiédasse et poisseux. La lumière des lampes se heurtait à une barrière opaque de gouttelettes d'humidité et de micropoussières, un brouillard nauséabond qui collait à la peau et s'insinuait sous les vêtements. Et plus ils avançaient, plus l'atmosphère était insoutenable, même pour eux.

Junk jura entre ses dents : la respiration de Spoilt à ses côtés devenait sifflante, une crise d'asthme s'annonçait. Le garçon tentait en vain de discipliner ses poumons torturés. Ce sifflement de pneu troué qui s'échappait si souvent de la poitrine du malheureux insupportait Junk depuis toujours. Ici, dans les entrailles de la Terre, ça ne faisait qu'ajouter à son propre sentiment d'étouffement.

Trash, qui marchait en tête, s'arrêta brusquement, remonta les quelques marches jusqu'à eux et tendit un oxymasque à Spoilt. Normalement, on utilisait ces protections seulement à l'extérieur, les jours de grandes pollutions atmosphériques. Mais ça ferait l'affaire pour Spoilt, l'oxygène filtré obligerait les alvéoles en détresse à se rouvrir, et les particules nocives n'iraient plus se nicher dans sa poitrine.

Il fallut néanmoins quelques minutes pour que la respiration du garçon redevînt normale. Junk émit un grognement désapprobateur : de son point de vue, on aurait dû se débarrasser de Spoilt dès qu'il avait franchi l'entrée de la Poubelle. Outre que le garçon faisait une consommation doublée des rares médicaments du gang, c'était un fouteur de merde de premier ordre, un teigneux qui se croyait drôle quand il n'était que cruel, et il cherchait sans cesse noise aux autres. Sauf à Wresh, sa petite amie.

Cette dernière dut sentir l'humeur farouche de Junk, car elle se faufila entre lui et son compagnon dans un geste dérisoire pour le protéger. Junk surprit le coup d'œil à la fois hostile et circonspect qu'elle lui jeta au passage. Il haussa les épaules en grognant intérieurement, un peu gêné malgré tout.

Ignorant les états d'âme de son Second, Trash lui lança :

– Junkie Junk, fais passer aux autres : on arrive aux égouts. Attention où ils mettent les pieds !

Le brouillard s'éclaircissait un peu sur le dernier palier. Ils débouchèrent sur un quai chichement éclairé par des veilleuses rougeâtres de loin en loin. C'était plutôt une bénédiction car le canal qui occupait les deux tiers de la conduite ne roulait pas des eaux très engageantes. Noir et huileux, le courant y était rapide, des objets non identifiés flottaient entre deux eaux en sifflant dans de petits nuages de vapeur. Le quai qui le bordait permettait d'avancer, mais tout juste.

– Attention, répéta Junk à mi-voix, ce jus est très acide, tombez pas dedans, surtout ! Éteignez vos lampes, vous trois, on n'en a plus besoin à partir d'ici.

Mud resta planté, hypnotisé par les remous menaçants, bloquant l'avancée des autres. On commença à grogner dans son dos.

– Fais gaffe et tout ira bien, lui glissa Worm en se coulant avec adresse devant lui.

Il lui tendit la main pour l'aider à avancer. Mud ne se fit pas prier, il saisit la pogne secourable et suivit son compagnon. Trash plissa les yeux d'un amusement bref devant le couple improbable formé par les deux garçons : Mud l'échalas, roux comme n'oserait pas l'être une carotte surshootée aux OGM, et le minuscule Worm, d'un brun tanné comme un pruneau racorni. Ça devait ragaillardir Worm, qui avait longtemps été le bébé de la bande, de prendre en charge un aussi grand dadais que son nouveau compagnon. Junk surprit l'expression fugace de la jeune femme et sa poitrine se dilata de soulagement. Il arrivait encore à Trash de sourire ! S'ils n'avaient pas été aussi entourés, dans un endroit aussi dangereux, il l'aurait serrée très fort contre lui.

Plongé dans ses pensées, il faillit glisser dans le liquide puant. Il se ressaisit au dernier instant. Non pas qu'une chute aurait été mortelle, mais on ne s'en tirait pas sans de sérieuses brûlures, et il valait mieux avoir les yeux fermés au moment du plongeon. Junk s'ébroua et se concentra sur son chemin, en râlant toujours contre l'exiguïté de ces foutues conduites. Ici aussi, il devait se courber pour éviter de se cogner.

Tout à coup, il lui sembla percevoir un bruit pardessus les clapotis de l'eau. Il fit signe aux autres de s'arrêter. Tous obéirent aussitôt, sauf Mess, aussi distraite que d'habitude, qui heurta Crap et manqua de choir dans le canal. Le garçon la rattrapa de justesse, serrant le mince poignet dans une étreinte de fer dont elle eut le mauvais goût de se plaindre.

Il haussa les épaules, se contentant de chuchoter discrètement à l'adresse de Spoilt, le plus proche de lui :

– Quelle idiote !

Spoilt acquiesça derrière son masque, mais son sourire mauvais était lisible dans ses petits yeux noirs malveillants. Il exécrait Mess depuis que la ravissante Asiatique au teint de porcelaine avait eu le front de décliner ses avances. Il faut avouer que le refus en question s'était exprimé à la pointe d'un couteau dirigé sur sa gorge et nettement décidé à s'enfoncer profondément s'il insistait. Spoilt n'avait jamais cherché à démêler la question de savoir s'il détestait Mess parce qu'elle l'avait dédaigné ou à cause de la trouille qu'elle lui avait collée ensuite. N'empêche, il s'était juré que l'horrible bestiole que la jeune fille avait forcé Trash à accepter dans la bande aurait quelques problèmes dès qu'ils seraient de retour à la Poubelle. Un chien, cette fille était folle !

Il sentit sur lui le regard adorateur de Wresh et le lui rendit froidement. Après le refus de Mess, il s'était rabattu sur elle. Elle était pas mal aussi, mais putain, quel pot de colle !! Il se força à lui sourire, toutefois. Junk et Trash tenaient les capacités de Wresh en haute estime, et c'était toujours bon d'être dans les petits papiers des Chefs.

Un cri perçant interrompit le cours de ses pensées. Le groupe entier sursauta. C'était un hululement suraigu venu du fond de la conduite, droit devant eux. Derrière le cri atonal, on percevait un concert de grognements, d'exclamations et d'insultes.

Trash leva le bras, poing fermé. La bande se tendit, prête à obéir à un ordre de repli éventuel. Mais la Chef leur fit signe de continuer en se plaquant encore plus contre la paroi du couloir. Junk posa la main sur l'épaule de Trash, qui se tourna pour dévisager son ami et acquiesça à la question informulée : elle le laissa prendre la tête. Au passage, il saisit Worm par le col, l'embarquant sans effort apparent. Le gamin ne frémit même pas lorsqu'il survola brièvement l'eau putride du canal avant de retoucher terre devant Junk.

Le Second lui chuchota quelque chose à l'oreille. Laissant la bande sur place, Worm fila comme une flèche en direction des cris. Avec admiration, Mud le regarda disparaître dans un couloir perpendiculaire. Le courage et l'efficacité de ce gosse minuscule l'impressionnaient. Mais sans lui, Mud se sentait très seul tout à coup. Il espéra que son nouvel ami serait rapidement de retour.

La tête brune de Worm resurgit aussitôt au tournant. Il leur fit signe d'avancer doucement. Les Tramps se rapprochèrent sur la pointe des pieds. Le gosse fit son rapport à Junk qui transmit les informations à Trash. Celle-ci sembla se replier sur elle-même, comme pour mieux réfléchir, puis :

– On intervient, ordonna-t-elle si doucement que Junk dut pratiquement lire les mots sur les lèvres fines.

Ils se glissèrent l'un après l'autre dans le couloir. Le plafond incurvé s'interrompait un peu plus loin, dans le vide apparemment. Mud ne comprit la disposition des lieux que lorsqu'il eut le nez dessus : le passage débouchait sur une salle située quatre mètres en contrebas, à laquelle on ne pouvait accéder que par une échelle rouillée.

Tapis dans l'ombre, les Tramps furent les témoins d'une étrange scène. Cinq vieux hirsutes, couverts de haillons et armés de lames de fortune, cernaient une petite silhouette apeurée vêtue d'une tunique courte d'un blanc éclatant.

Les vieux se rapprochaient peu à peu et semblaient sur le point de mettre la main sur leur proie acculée. Au dernier moment, la fille se glissa entre deux hommes avant de filer en direction du couloir le plus proche, dont l'ombre noire salvatrice s'ouvrait à un ou deux mètres de là.

Elle l'aurait atteint si un sixième vieux n'en avait surgi et ne s'était interposé, lui barrant l'accès. Elle fit un écart à l'ultime seconde et se réfugia sur un tas de moellons abandonnés. Pendant sa brève escalade, elle avait saisi un gros silex aux arêtes tranchantes et le brandissait en faisant de grands gestes. Le petit visage fermé disait assez à ses adversaires combien elle comptait vendre chèrement sa peau. Les vieillards hésitèrent. Leur victime succomberait certainement sous le nombre, mais le premier qui s'aventurerait risquait d'être sérieusement blessé. Ils firent cercle autour d'elle, grognant et la bave aux lèvres, leur avidité féroce s'exprimant ouvertement.

De son perchoir, Junk contemplait la scène avec admiration, il appréciait les filles avec du caractère. À un moment, elle leva les yeux dans leur direction. Le Second se rejeta en arrière, mais il était presque sûr qu'elle les avait repérés. Il se tassa encore plus dans l'ombre.

Il jeta un œil sur Trash qui s'était glissée près de lui, épaule contre épaule, et lut la même certitude sur les traits durcis de sa Chef. Elle fit un signe dans son dos : Shift se coula à leur hauteur. Sans qu'il soit besoin de lui demander quoi que ce soit, il fit glisser son fusil de son épaule et adapta à l'extrémité du canon un silencieux très efficace, invention de Junk lui-même. Quand le gosse tirerait, on entendrait à peine le souffle de la balle. Il se coucha en position de tir et visa un des vieux, le plus proche de l'amas de gravats. Trash secoua négativement la tête. Shift comprit au quart de tour : mieux valait laisser la petite régler le compte du premier type et s'occuper du suivant.

Il appuya sur la détente. À cette distance, le M30 était d'une redoutable efficacité, la cible s'effondra, sans un cri, morte avant de toucher le sol. Ses compagnons l'entourèrent, sidérés. Pas un ne leva les yeux. Ils n'avaient pas encore compris que leur camarade avait été abattu.

Mais Shift ne leur laissa pas le temps de réfléchir. Il ajusta sa nouvelle cible ; un deuxième vieux tomba.

Le jeune garçon ne sourit même pas de son succès : à cette distance, c'était trop facile. Il s'apprêtait à aligner le troisième quand les quatre restants saisirent enfin qu'ils étaient attaqués. Leurs yeux affolés fouillèrent les alentours. Mal en prit à celui qui était le plus proche de la jeune fille. Profitant de la distraction de l'homme, elle glissa de son piédestal improvisé et lui fracassa le crâne de son silex. Il s'effondra en hurlant tandis qu'elle grimpait à nouveau sur la butte et se retournait, prête à recevoir le prochain agresseur.

Mais les trois rescapés prirent la fuite sans demander leur reste.

– Vous... pouvoir descendre... maintenant, lança la jeune fille d'une voix étrange à l'adresse des Tramps, toujours invisibles.

CHAPITRE 6

Dédaignant l'échelle rouillée, Trash et Junk sautèrent de concert. Ils atterrirent souplement. La bande suivit le même chemin, sauf Shift, gêné par son fusil trop grand, le gros Spent et Spoilt qui optèrent pour les barreaux. Junk s'approcha de la mince silhouette en blanc, mains ouvertes pour montrer qu'il n'était pas menaçant.

– Attends, Junkie Junk ! Elle a peut-être été mordue ! le prévint Trash.

La rescapée se tourna vers la Chef des Tramps. Des yeux effrayants, sans pupilles, recouverts d'une taie gris rosâtre. Horrifiés, les Tramps reculèrent, puis se détendirent : la gamine était aveugle, c'était tout. Pourtant, elle semblait percevoir tous leurs mouvements, avec un léger temps de retard toutefois.

– Pas mordue, dit-elle en secouant ses cheveux mi-longs, aussi blancs que sa tunique.

Elle parlait d'une voix rauque, bizarre, comme si elle n'avait pas l'habitude de s'en servir.

Elle tourna sur elle-même en douceur pour démontrer l'absence de morsure sur son corps. Trash considéra son interlocutrice avec une méfiance visible et une désapprobation plus criante encore : la tenue de la fille était pour le moins succincte, pieds nus, une simple tunique courte qui ne masquait pas grand-chose d'un jeune corps parfait : un véritable appel à l'agression sexuelle. Quoique la pâleur de la peau, les cheveux et les yeux presque roses ne la rendent pas vraiment attirante au premier abord : on aurait dit un fantôme.

– C'est un genre d'albinos, non ? chuchota Mud à l'adresse de Worm.

Ce dernier ignorait ce qu'était un albinos et fit signe qu'il valait mieux la boucler et laisser Trash régler la question. La Chef arborait son air fermé des mauvais jours.

– Qu'est-ce que tu es ? Une « fille de plaisance » ?

C'était le terme poli en usage dans les gangs. Il en existait d'autres, moins jolis. Mais la jeune fille en blanc secoua la tête, perplexe. Manifestement, elle n'avait pas compris l'expression.

– Moi, Seize, répondit-elle.

Junk haussa un sourcil :

– Ton nom, c'est Seize ?

Seize acquiesça :

– Oui. Vous en retard. Vous réagir plus vite, prochaine fois.

Spoilt joua des coudes pour arriver au premier rang. Une fille à moitié à poil! Il ne voulait pas louper une seconde du spectacle. Wresh le rattrapa fermement par le coude sans rien dire et le colla derrière elle, sous le regard goguenard de Mess.

Spoilt manqua s'en étrangler de rage.

Trash pencha sa tête d'oiseau de proie sur le côté:

– Réagir plus tôt, comment ça? Tu nous attendais? C'est Markus qui t'envoie?

Seize parut perdue sous le flot de questions, elle hésita:

– Markus...? Non... Pas connaître... Seize *sentir* vous, c'est tout.

Junk fronça les sourcils: il n'y avait pas la moindre trace d'accent dans cette voix à la tessiture insolite. Ce n'était donc pas une étrangère, comme il l'avait d'abord pensé à cause de son phrasé maladroit. Elle ne savait tout simplement pas parler correctement.

– Alors, comment pouvais-tu nous attendre? insista Trash, ignorant la dernière partie de la phrase qu'elle n'avait pas comprise.

Seize plissa les yeux. Elle semblait se concentrer pour trouver les mots justes, apportant sans le savoir confirmation à la question que s'était posée Junk.

– *Sentir* vous dans couloir! appuya-t-elle. Présences amies, pas cannibales... oui? *Sentir* toi, lui, vous tous. *Sentir* désir d'intervention... oui?

Elle ponctuait chaque « oui » d'un hochement de tête à la fois interrogateur et inquiet. Elle voulait désespérément être comprise. Les Tramps la contemplaient, muets. Ils s'entreregardèrent, indécis. Mud leva un doigt timide, à l'étonnement de ses compagnons, car depuis son arrivée dans le gang le garçon tentait de se faire oublier.

– Tu as *senti* notre arrivée ? dit-il.

Seize approuva du menton avec force.

– Conception labo ! Soignant. Erreur. Seize être erreur. *Prévoir*, *sentir* évolution maladies, Nada4. Mais *sentir* affect, presque pensées, aussi... Erreur conception. *Voir* images et intentions, aussi.

Elle réfléchit encore, secoua la tête avec agacement comme pour s'éclaircir les idées, puis ajouta avec un petit sourire crispé :

– Bonne erreur... oui ?

À la mention de sa maladie, Trash avait tiqué. Elle se pencha en avant et saisit Seize par le bras, la secouant comme un prunier.

– Qu'est-ce que tu délires avec le 4 ? Tu te fous de nous ?

Seize se laissa ballotter quelques secondes. Ses yeux rosâtres se fermèrent un instant. Soudain, elle hurla. Elle s'arracha presque sans effort à la poigne de Trash.

– *Elle* ! Plus rien ! Malade ! hurla Seize en se réfugiant derrière un Junk pétrifié. Malade ! Presque vide. Dangereuse ! Mordre !

Dans un geste réflexe, Junk récupéra la fille dans son dos et la ramena devant lui.

– Trash est malade, oui, mais son traitement ralentit la maladie, elle te mordra pas, fit-il sur un ton docte inhabituel, qui se voulait rassurant.

Il ne s'adressait pas uniquement à la jeune fille qu'il tenait à bout de bras, mais également aux Tramps. Ceux-ci, pourtant accoutumés à l'état de Trash, n'avaient pu s'empêcher de reculer. Les malades atteints du Nada4 avaient tendance à mordre leur entourage, un peu comme jadis les chiens atteints de la rage ; le virus se propageait ainsi. C'était la raison pour laquelle Trash avait tenu à vérifier que Seize n'avait pas été blessée par les vieux.

L'AzTc 114 que Trash s'inoculait chaque semaine coûtait très cher aux Tramps. Depuis que les malades avaient été déclarés hors la loi et qu'on les jetait hors des Bulles, seuls les labos clandestins de Markus produisaient ce médoc.

Cependant, l'AzTc n'empêchait hélas pas le plus terrible des effets du Nada4 : effacer peu à peu les capacités affectives. La maladie s'attaquait aux zones du cerveau qui régulaient les émotions et l'empathie, la faculté de partager les sentiments de ses semblables. Les malades perdaient tout : l'amour, la haine, la peur même, et la possibilité de les comprendre chez les autres. Ils devenaient des sortes de robots biologiques, « programmés » pour leur survie. Pas foncièrement agressifs, seulement ils ne reculaient devant rien pour se procurer ce dont ils avaient besoin. Lorsque le meurtre s'avérait la solution la plus simple, c'était invariablement celle qu'ils choisissaient. Sans états d'âme, puisqu'ils n'en avaient plus. Le Nada4 les transformait en psychopathes logiques et glacés que rien n'arrêtait, sinon la satisfaction de leur désir immédiat.

Seize tremblait comme une feuille sous la pogne de Junk. Elle semblait sur le point de s'effondrer, elle qui avait été si courageuse contre les six vieux. Des larmes perlèrent à ses paupières, spectacle déplaisant dans ces yeux sans pupilles. Junk la secoua presque gentiment.

– Calme-toi, idiote, la Chef te mordra pas, je te dis!

La petite se détendit, levant son regard étrange, noyé vers lui:

– Seize savoir, maintenant. Chef *froide*, mais encore *là*. Mais... Seize, réflexe conditionné... oui?

Elle eut un geste d'excuse vers Trash, qui secoua la tête avec sécheresse en croisant les bras sur sa poitrine.

– Je ne comprends rien à ce qu'elle raconte!

Seize plissa les paupières. Elle ne semblait pas décidée à quitter la main de Junk, comme si les doigts du colosse crochés dans son épaule la rassuraient, lui donnaient un peu de sérénité.

– Toi, malade, dit-elle à Trash sans trop de précaution. Toi, à la fin. Mourir bientôt. Oui?

Trash serra les dents, mais acquiesça:

– En effet. Et alors?

– Seize, fabriquée en laboratoire, là-haut, fit la jeune fille. Pour *sentir* Nada4, oui? Malades intelligents. Savoir risquer éviction dehors: dissimuler état. Comédie. Difficile trouver eux. Seize très, très empathique. Repérer malades, puis signaler aux Bleus. Ensuite, Bleus poursuivre malades et jeter hors Bulle, oui?

Trash inspira profondément, tandis qu'autour d'elle la bande se mettait à chuchoter fébrilement. Le fait que les labos secrets euraz utilisent parfois des êtres humains pour leurs expériences bizarres était un secret de polichinelle, mais c'était tout de même un choc d'entendre confirmer cette vieille rumeur menaçante. La jeune femme plissa le front d'inquiétante façon:

– Tu es une indic, c'est ça? Tu pistes les Nada4 pour les flics? Et ensuite ils les foutent dehors?

Seize, inconsciente du ton froid, approuva avec un sourire réjoui. On la comprenait enfin. Junk tressaillit. Quelque chose clochait: la gosse prétendait sentir les émotions des gens et elle ne voyait pas que Trash était au bord du meurtre. On tuait les indics, évidemment. À moins que... – il déglutit nerveusement à cette idée –, à moins que Trash ne soit pas en colère, qu'elle soit en train de *jouer* cette émotion... parce qu'elle n'était déjà plus capable de la ressentir. Peut-être même qu'elle leur jouait la comédie depuis longtemps... et qu'elle était vraiment tout près de la fin?

Il sentit le regard de son amie se poser sur lui et il détourna le sien. Trash pinça les lèvres, mais continua son interrogatoire :

– Qu'est-ce que tu fous là, alors ? Tes copains flics t'ont perdue pendant une descente ?

Seize secoua la tête, son sourire se mua en grimace de gamine, qui attendrit un peu Junk.

– Non. Seize échapper Bleus. Seize trop vieille. Bleus bientôt se débarrasser de Seize. Seize, prévoir, oui ?

Elle était redevenue sérieuse, les efforts qu'elle faisait pour parler la fatiguaient. Junk intervint :

– Ah oui, tu dis que tu vois dans l'avenir aussi... T'es une espèce de prophétesse ?

L'ironie était perceptible pour chacun, même sans avoir l'empathie de Seize. Celle-ci eut une moue fataliste :

– Pas besoin voir avenir pour prévoir élimination Seize. Trop vieille. Empathie décroissante. Plus utile... Moins docile, aussi...

– Elle doit perdre ses capacités en vieillissant, intervint Mud à qui personne n'avait rien demandé. Alors on s'en débarrasse...

Il rougit violemment, conscient de s'être encore fait remarquer plus qu'il ne l'aurait voulu. Mais la jolie Mess approuva derrière lui :

– Ouais, j'ai compris la même chose. Paraît qu'on devient sourd aussi à certains sons, passé un certain âge...

– Vos gueules ! répliqua Junk, qui reprit à l'adresse de Seize : Que tu « sentes » les malades quand tu les croises, je veux bien; mais que tu «sentes» nos intentions alors qu'on était planqués hors de ta vue, c'est quasiment de la magie et ça c'est une autre paire de...

– De couilles? suggéra Spoilt en ricanant.

L'adolescent n'eut pas le temps de savourer son jeu de mots grossier. Sans lâcher Seize pour autant, le Second des Tramps le cueillit d'un revers monumental qui envoya le gamin contre une paroi vérifier la solidité de son nez morveux. Décidément, ce con avait le don d'exaspérer Junk.

Seize haussa les épaules:

– Docs du labo non plus, pas croire. Moi prouver, c'est tout. Preuve?

– Elle demande si on en veut une, de preuve? intervint Wresh d'un ton sec. Moi j'aimerais bien.

La jeune fille n'avait pas du tout apprécié ce qui venait d'arriver à son copain et elle en rendait la nouvelle venue directement responsable.

– Alors? fit Junk à l'adresse de la fuyarde.

Seize hésita un peu. Il y eut encore des chuchotements étouffés autour d'elle. Trash, elle, ne bronchait pas, se contentant d'attendre la fameuse preuve. Seize déglutit avant de s'adresser à la Chef:

– Toi rendez-vous. Pas y aller. Piège. Vous tous, ce soir.

– Je ne te crois pas! Markus n'a aucune raison de nous piéger! Et tu m'énerves avec ta façon débile de t'exprimer! Ils ne t'ont pas appris à causer, tes parents?

Seize détourna ses étranges yeux roses. Junk s'étonna de les découvrir si expressifs malgré tout : la lueur de colère et de souffrance qui les avait traversés avait été très visible.

– Pas eu parents, seulement éprouvettes. Parler pas utile. Empathiques comme Seize comprendre, toujours comprendre, oui ?

Le message était clair : il n'y avait plus aucune chance que Trash, *elle*, comprenne quoi que ce soit. C'était trop tard. Seize ajouta :

– Labo pas intérêt nous savoir faire trop de choses, non plus. Oui ?

Trash hocha la tête, convaincue mais apparemment toujours agacée.

– Alors ? insista Junk en scrutant Seize. Que tu dises ça, c'est pas une preuve, pas une preuve du tout, même.

Seize fronça les sourcils, cherchant comment convaincre ses interlocuteurs.

– Seize *sentir* et *entendre* odeurs, sueurs, respirations, *voir* gestes même minuscules ; Seize cerveau capable traduire ça en idées, oui ? Ça aller ? Pas trop magique ? Rationnel ?

Il hocha la tête. Elle continua :

– Parfois Seize pouvoir *transmettre*, elle aussi.

Et, doucement, elle posa la main sur la manche longue du tee-shirt grisâtre de Junk. Les doigts légers frémissaient sur le tissu rêche et rapiécé. Elle repoussa délibérément le coton pour toucher directement la peau rude et constellée de cicatrices. Junk ne put s'empêcher de frissonner lui aussi à ce contact. Il lui sembla tout à coup que le discours de la jeune fille s'éclaircissait ; en tout cas, il croyait chaque mot qu'elle avait prononcé. Il ouvrit de grands yeux.

Seize eut un sourire timide.

– Communication pas toujours bonne. Pas bien. Pas avec tous. Mais toi, oui. Toi bon récepteur. Seize *sentir* ça avant voir toi.

Il lui rendit son sourire hésitant et se perdit un instant dans ce regard couleur de fleur. Il ne vit pas le coup venir. Trash se jeta sur eux et les sépara avec brutalité. Comme avertie par un coup de klaxon tonitruant, Seize esquiva la bourrade au dernier moment, mais le choc força Junk à reculer d'un bon pas en arrière. Machinalement, il se mit en position de défense, avant-bras tendu et poing sous l'aisselle, prêt pour l'attaque qui aurait dû suivre : un nukité destiné à écraser le sternum. Mais loin de se conformer à la chorégraphie normale du kata, Trash recula, mains en l'air.

– Cette fille te fait un truc bizarre, j'en suis sûre, dit-elle d'une voix sourde.

Junk leva les siennes en signe d'apaisement.

– Non, je crois pas. Mais pour moi c'est évident qu'elle nous comprend, au moins. Et qu'elle sait faire ce qu'elle a dit...

Worm et Mud approuvèrent en silence, alors que les autres Tramps semblaient dubitatifs et mal à l'aise.

Wresh et la grande Shabby restaient à bonne distance du groupe, tandis que Spoilt, furieux de s'être fait massacrer par Junk à cause de cette pouffiasse, ruminait hors de portée. Spent, Shift et Crap s'étaient bien gardés d'intervenir, la situation les dépassait trop largement. Ils laissaient les grands décider mais ne pouvaient s'empêcher de jeter des regards inquiets à la jeune fille en blanc qui prétendait pouvoir deviner leurs intentions à distance. C'était trop bizarre. Mess, toujours aussi tête folle, suivait la scène comme si elle était au spectacle.

– Moi, qu'elle sente les intentions par l'odeur et les gestes des gens, je veux bien. J'ai déjà entendu parler de ça, continua Junk. Et puis, si elle a été fabriquée par les labos pour ça, hein? Pourtant, le coup du rendez-vous avec Markus, c'est pas inscrit dans nos gestes, ça, si?

Du menton, il interrogeait à la fois Trash et la nouvelle venue.

Seize haussa les épaules.

– Pas difficile. Seize savoir labo attendre gros arrivage cobayes. Seize sentir. Avant fuite Seize, Bleus contents : grande capture prévue ce soir. Croire Seize, là? Oui?

Les gosses échangèrent un regard d'incompréhension, sauf Trash et Junk qui pâlirent brutalement. Junk fut le premier à se reprendre :

– Quoi?

– Vous pressés, rendez-vous. Seize sentir urgence. Pas difficile additionner 2 et 2, oui?

Trash fit signe à Junk de la suivre à l'entrée d'un des couloirs, hors de portée des oreilles des Tramps mais aussi de cette étrange rescapée et de ses pouvoirs singuliers.

– Qu'est-ce que tu en penses? dit-elle d'un ton glacial.

Il choisit de se méprendre sur la question.

– Je crois qu'on peut lui faire confiance.

Son amie secoua la tête avec une exaspération qu'il soupçonna d'être aussi feinte que sa colère quelques instants plus tôt. Pourtant, Trash avait eu l'air sincère lorsqu'elle s'était jetée sur eux avec tant de fougue pour les séparer.

– Ça n'est pas possible, Markus ne ferait pas ça! Il n'a aucun intérêt à servir les gangs sur un plateau aux Bleus! Il a besoin des gangs pour écouler sa came, les drogues, les médicaments, etc. D'où le rendez-vous. Il en a tellement besoin qu'il préfère qu'on règle nos conflits à l'amiable désormais!

Junk se contenta de grogner.

– C'est déjà le boss de tout le coin, qu'est-ce qu'il pourrait vouloir de plus? insista Trash. S'il nous affaiblit, c'est lui qui s'affaiblit. Nous sommes ses meilleurs clients.

– Je suis pas aussi intelligent que toi, bien sûr, mais il me semble que «diviser pour régner», c'est pas un truc nouveau.

– Je n'y crois pas. Mais tu dis qu'elle est sincère, comment le sais-tu?

– C'est quand... elle m'a chopé le bras, c'était comme si elle m'invitait dans sa tête. C'était... chaud... gentil. Elle était « ouverte », je sais pas comment dire ça...

Trash eut une moue dubitative :

– Mouais, admettons qu'elle soit sincère, mais elle peut se tromper : après tout, les Bleus font des coups de filet permanents dans les banlieues.

– Je voudrais pas insister, mais je dis que cette histoire pue depuis le départ. Là, on a juste confirmation que la charogne est encore plus pourrie que je le pensais.

Trash soupira ostensiblement, mais Junk sentit qu'elle n'était pas si agacée que ça. Cependant, lorsqu'elle releva le regard vers lui et plongea ses prunelles d'acier dans les siennes, il sut que son sérieux n'était pas feint.

– On n'a pas le choix, Junkie Junk, il FAUT que quelqu'un nous fédère. Tant pis si c'est cette ordure de Markus. Les gangs doivent faire mieux que survivre !

– Je suis d'ac avec toi sur le fond, comme toujours, mais je vois pas comment un proxénète vendeur de came peut représenter l'espoir...

Trash le scruta avec intensité :

– Pourtant, tu as bien été le mien, d'espoir...

Bec cloué, blêmissant, il se tut. Jamais Trash ne faisait allusion au passé de son Second avant leur rencontre ; il pensait même qu'elle ne s'y était jamais intéressée. Et pourtant, il avait eu tort apparemment. Il ouvrit la bouche mais Trash l'interrompit aussitôt en braillant vers le gang :

– Bon, on y va !

Elle fit mine de tourner les talons en direction d'un couloir, puis s'arrêta un instant, lançant sans se retourner :

– Tu peux venir avec nous, « Sickteen » ! Si ça te chante et si tu ne l'ouvres pas pour raconter encore une absurdité. Ah, et que quelqu'un lui apprenne à dire « je », je ne supporte pas sa façon de parler.

Cette dernière phrase s'adressait aux Tramps dans leur ensemble, mais seul Mud sembla la noter.

Seize soupira, se rapprocha un peu de Junk et lui dit à l'oreille :

– Attention. Gang de vieux dans couloir, dixième à partir d'ici... Moi sentir leur faim...

Junk transmit l'information, mais Trash maintint pourtant son itinéraire en prenant le couloir qu'elle avait décidé de suivre.

CHAPITRE

7

Les Tramps surgirent des égouts et débouchèrent au cœur du vieux métro que personne n'utilisait plus depuis longtemps. À l'exception de quelques tronçons aériens, la plupart des lignes avaient été supprimées, surtout quand elles continuaient en banlieue. Toutefois, les couloirs étaient éclairés : l'ensemble du réseau avait été vendu jadis à des propriétaires privés. Ces derniers y avaient installé, entre autres, des abris antiatomiques individuels, les tensions internationales de l'époque ayant fait présager le pire.

L'apocalypse n'a pas eu lieu, songea Trash en passant devant une des énormes portes blindées donnant sur un de ces abris, *on se contente de s'enfoncer chaque jour un peu plus dans la merde*.

Le réseau était donc à peu près entretenu mais cela signifiait aussi qu'il était surveillé, bien plus que les cloaques abandonnés aux vieux et à la racaille. Seules quelques rares équipes de maintenance s'y aventuraient parfois, ou bien les Bleus à la poursuite d'une cible précise.

Personne ne s'était jamais vraiment préoccupé du fait que, d'embranchement en embranchement, il permettait de s'introduire et de circuler dans Paris discrètement, sans passer par les check points de surface, installés à chaque porte de la ville et surveillés par des centaines de soldats armés jusqu'aux dents.

Certaines entrées étaient accaparées par les gangs, comme le couloir principal nord tenu par les Cavistes de Saint-Denis. Mais personne n'avait une idée réelle de ce labyrinthe. Sauf le vieux Gérard de la gare, ce puits de science râleur et taciturne, qui ne dispensait son savoir que pour mieux écraser ses interlocuteurs de sa morgue et de sa supériorité.

Et Trash.

Cherchant une issue à son calvaire quotidien du temps où elle habitait chez son père, elle avait découvert des centaines de cartes sur l'Intranet. Certaines dataient des siècles précédents. Elle les avait analysées et, croisant les informations dispersées, elle s'était intéressée aux champignonnières abandonnées, aux catacombes, aux égouts, aux caves communicantes et autres réseaux qui maillaient le sous-sol.

Jusque-là, tout s'était très bien passé, sauf quand Trash avait décidé de passer outre l'avertissement de Seize. Ils étaient tombés sur trois vieux qui leur avaient donné du fil à retordre. Personne n'avait été mordu mais c'était un pur effet de la chance. Ils avaient laissé les trois vieux sur le carreau.

Trash était bien consciente que c'était de sa faute, que pour une fois elle aurait dû reléguer sa suspicion naturelle et faire confiance à leur nouvelle « amie ». Mais rien que ce mot la crispait intérieurement, tout comme le manège énervant de la jeune fille autour de Junk. Voir la gamine se pendre sans cesse au bras de son Second n'aurait pas dû la mettre, *elle*, dans cet état. Elle était jalouse, voilà, puisqu'il fallait bien se l'avouer. Mais c'était stupide, Junk n'était pas son petit ami. Surtout, c'était illogique. Or rien n'agaçait plus Trash que les réactions illogiques. Avec un sourire amer, elle se dit que la maladie n'avait pas eu beaucoup de travail pour la transformer en robot. Et elle n'avait pas envie de remercier Seize de lui rappeler son reste d'humanité sous un angle aussi... minable.

Les choses se corsaient réellement à partir d'ici. Trash réfléchit aux caméras, aux systèmes de détection de chaleur, de poids et même de sons que la grande Shabby et elle avaient eu tant de mal à hacker sur le site de surveillance parisien avant leur départ. On pourrait en éviter la plupart, en leurrer quelques-uns, cependant, certains devraient être détruits. C'était à peine plus discret que de les déclencher. À ce moment-là, ils devraient faire surface au plus vite. Heureusement, la nuit serait en train de tomber : en suivant le trajet prévu, ils éviteraient de se faire repérer. Leur but était de rejoindre la Ceinture Verte de Paris.

Au XIXe siècle, elle était empruntée par l'un des premiers trains à vapeur français. Ensuite, on en avait fait des jardins, puis elle avait servi pour des tramways robotisés sur coussins d'air. Le trafic était entièrement aérien, néanmoins toutes les structures de maintenance s'enfonçaient dans le sous-sol et communiquaient avec l'ensemble des souterrains, donnant même parfois directement sur l'antique réseau des catacombes. C'était d'ailleurs la cible de Trash. La jeune femme comptait emprunter ces boyaux pour se rendre sous le parc Montsouris, non loin du curieux rendez-vous imposé par Markus. Trash se raidit, puis se força à se détendre. Ce n'était pas en tétanisant tous ses muscles qu'elle les rendrait plus efficaces, Junk le lui avait répété un bon millier de fois.

Ce dernier réfléchissait en marchant. Il se sentait de plus en plus à l'aise avec Seize et trouvait ça étrange. La jeune fille trottait derrière lui. Encadrée par Mud et Worm qui lui chuchotaient des cours accélérés de français à mi-voix, elle ne lâchait pas le Second d'une semelle. De temps en temps, elle avançait la main pour le toucher, directement sur la peau, puis retirait les doigts aussi vite. Il ressentait alors une étonnante sensation de chaleur due à la confiance que la jeune fille lui accordait. Il ne pouvait s'empêcher de la lui retourner. Cela lui rappelait Trash, cette certitude absolue de la présence de l'autre, mais d'une façon plus sereine, plus douce, plus... tendre?

Il profita d'une halte où tous s'assirent pour demander à Seize ce qu'elle faisait exactement. Le ton bourru fit se rétracter la jeune fille comme une fleur brusquement fanée, alors qu'elle tendait une nouvelle fois la main.

Elle hésita, les doigts en l'air:

– Seize... Non... Je...

Junk haussa un sourcil amusé. Worm et Mud semblaient efficaces dans leur rôle de professeurs.

– Je... Trop de lumière ici. Je pas bien voir. Je mieux voir pénombre. Yeux pas normaux. Ratés. Nyctalope...

– Nique ta quoi? Tu supportes qu'elle te parle comme ça, cette garce? intervint grossièrement Spoilt dans leur dos.

Junk ne se donna même pas la peine de lui flanquer une baffe. Wresh s'en chargea pour lui. Puis elle expliqua d'un ton sec que Seize voyait seulement dans le noir, comme certains animaux. Junk fit un signe rassurant à Seize.

– Je comprends. Tu vois à travers mes yeux? C'est ça?

La jeune fille acquiesça d'un air un peu triste. Worm s'écria:

– Qu'est-ce qu'elle va devenir quand son don va la quitter?

Seize redressa les épaules et dit d'un ton qui se voulait ferme :

– Je aveugle. Jour seul.

– Je suis aveugle le jour seulement, souffla Mud avec gentillesse.

– Je suis aveugle le jour seulement, répéta-t-elle docilement tandis que le grand rouquin souriait à son élève appliquée.

« Sickteen », comme l'avait surnommée Trash, se sentait bien, assise contre Junk, non loin de Mud et de Worm qui semblaient avoir décidé de la prendre en charge. Wresh, qu'une lueur sournoise dans les yeux de Spoilt avait dû avertir, surveillait ce dernier de près. Mess, de son côté, contenait autant qu'elle pouvait ses envies de glousser. Elle avait toujours trouvé comique la façon dont son amie tenait en laisse le porc vicelard, ainsi qu'elle l'avait surnommé en son for intérieur. Elle gloussa une fois de trop. Spoilt se tourna brusquement vers elle :

– Quelque chose te fait rire, pétasse ?

Mess jugea inutile de répondre. Elle préféra s'intéresser aux autres garçons assis alentour. Elle retint de justesse une nouvelle envie de rire : eux aussi étaient fascinés par la fille, enfin... tout particulièrement par ses jambes. Faut dire qu'elles étaient fabuleuses et qu'on les voyait... très haut.

Trash se leva. La pause était terminée et la bande reprit son chemin.

– Faites gaffe, putaincong! chuchota Spent quelques instants plus tard.

Il désignait l'issue du tunnel. Au-delà régnait une éclatante lumière tirant vers le vert. Ce n'était pas encore celle du jour, mais celle des grands couloirs de l'ancien métro qu'on avait transformés en étonnantes enfilades de serres d'agrément.

Seize s'accrocha plus fort au bras de Junk. Il sentit à ce contact qu'elle ne voyait plus que par ses yeux et il en fut attendri. Il s'ébroua et avança vers le mirage vert.

Le détecteur de présence se trouvait juste à l'entrée de la serre. Il rugirait dès qu'on en franchirait le rayon de lumière invisible. La parade était simple : Trash tira de sa poche une poignée de poussière qu'elle avait récoltée dans un couloir. Elle la projeta devant elle et le rayon apparut dans un trait presque cohérent de particules illuminées de bleu... ainsi que deux autres en retrait du premier. Elle jura entre ses dents et croisa le regard inquiet de Shabby. Ces derniers rayons n'étaient pas au programme. Toutes deux se demandaient combien de ces nouveaux dispositifs avaient pu leur échapper, lors de leurs recherches sur le Net.

Les Tramps, posant leurs besaces à terre, se faufilèrent avec difficulté entre les longs rayons bleus étincelants. Le gros Spent glissa en reposant un pied, manquant de peu de déclencher le détecteur. Il se tortilla, s'accroupissant de justesse. Quand il se releva, il croisa le regard méprisant et railleur de Spoilt. Spent secoua ses dreadlocks, allons, ce n'était pas aujourd'hui que ce pourri se rendrait sympathique.

Worm fit passer les sacs de l'autre côté des rayons en les tendant à Mud, puis il traversa à son tour. Le groupe marqua un temps d'arrêt involontaire après quelques pas sous le couvert des arbres et les cascades de fleurs. Pour la plupart, ils n'avaient jamais vu de jardins et ne connaissaient que les rares buissons étiques et les herbes malingres qui survivaient bon an, mal an au milieu des décombres de leurs banlieues. Ils ne s'attendaient pas à cette folie tropicale et étaient éblouis par la lumière, les couleurs éclatantes, le jaune d'or qui tranchait sur l'orange vif, sous-tendu par un blanc rosé d'un ton de chair. Des parfums inhabituels, riches, lourds, sucrés et triomphants les suffoquaient, et les orchidées dégringolant des cimes les inquiétaient avec leurs airs d'insectes charnus prêts à l'envol. La moiteur omniprésente faisait ruisseler la sueur sur leurs peaux luisantes. La bruine tiède qui tombait par intermittence des plafonds ajoutait encore à leur malaise, s'insinuant sous les combis, les pulls rapiécés ou les tee-shirts troués, et renforçait leur sensation d'étouffement.

– Ça sert à quoi, tout ça? murmura rageusement Mess. Vous vous rendez compte de l'eau qu'il faut pour entretenir ce truc? Alors que nous...

Elle n'acheva pas sa phrase mais tout le monde suivit sa pensée. Dans les banlieues, on vendait très cher l'eau potable. Et on n'était jamais certain qu'elle le soit. Les

Tramps avaient une chance inespérée avec leur nappe phréatique personnelle sous la Poubelle. Sinon, ils en seraient réduits au même point que les autres gangs : dépendre de fournisseurs peu scrupuleux. Mess, que la chose médicale intéressait depuis toujours, savait que le choléra avait refait surface en Europe ces dernières années alors qu'on l'en croyait disparu. Sans parler des empoisonnements aux métaux lourds ou d'autres joyeusetés chimiques.

Mud prit une inspiration et lâcha en haussant les épaules :

– C'est un truc de riches. Ils offrent ça à la ville, et puis il paraît que ça produit de l'oxygène propre...

Le grand rouquin ne semblait pas du tout perdu dans cette forêt incroyable.

Worm lui donna un coup de coude :

– J'parie que t'es déjà venu ici !

Mud hocha tristement la tête, alors son ami n'insista pas.

Soudain, Spoilt s'affaissa, la respiration sifflante, un roulement rauque et annonciateur de désastre au fond des poumons. Wresh se jeta contre lui et ôta le masque de son compagnon pour rencontrer son regard chaviré :

– Il étouffe ! gémit-elle.

Tout le monde s'en rendait bien compte. Le teint du garçon, après être passé par l'écarlate, virait au bleu de cyan. Il faisait mieux qu'étouffer, il s'étranglait carrément. La peau de son visage gonflait. Il tenta avec maladresse de remettre le masque qui lui avait sauvé la mise un peu plus tôt. Mais l'élastique céda bientôt sous la pression de la peau. Wresh tenta désespérément de maintenir la protection dérisoire sur le nez et la bouche de son ami. Bouleversés, les Tramps les contemplaient sans mot dire tandis que Spoilt convulsait dans les bras de Wresh. Tous se tournèrent vers Mess, l'infirmière du clan portant la Trousse des Derniers Secours, qui fit un geste de dénégation affolée :

– Eh, je sais pas ce qu'il a, moi ! Je peux rien faire !

Seize tira Junk par la manche pour réclamer son attention.

– Allergie. Œdème. Gonflement jusqu'à mort. Pas supporter pollens.

– Quoi ? firent Junk et Trash en chœur.

Seize soupira. Sa fréquentation constante des médecins dont elle était la créature lui avait appris deux ou trois choses. Elle jeta un coup d'œil autour d'elle. Les Tramps restaient les bras ballants, indécis, affolés et ne sachant que faire : ce n'était pas dans leurs banlieues stériles et mortes qu'ils auraient pu apprendre les méfaits potentiels des plantes. Elle n'avait pas le temps de leur expliquer. Spoilt allait mourir si elle n'intervenait pas.

Elle sauta sur Mess et lui arracha le couteau que la jeune fille portait à la ceinture. Mess se laissa faire, incapable d'une réaction cohérente, ses yeux exorbités rivés à ceux de Spoilt en un étrange écho entaché de culpabilité.

Seize tituba. Elle avait dû lâcher Junk pour attraper le couteau et du coup se retrouvait à nouveau aveugle. Sa main gauche battit l'air sur le côté à la recherche de l'avant-bras musculeux. Junk le lui tendit spontanément.

– Amener je, malade. Toi le tenir.

Junk obéit en silence sous le regard glacé de Trash. De temps en temps, la Chef jetait un coup d'œil froid à Spoilt lorsqu'un soubresaut plus intense que les autres le secouait. Seize cueillit la canne fraîche d'une pousse de bambou qu'elle brandit au hasard.

– Vider !

Crap, qui était le plus proche, la regarda un instant sans comprendre, puis la lumière se fit dans son esprit : il sortit un canif et commença à creuser la hampe verte. Pendant ce temps, sa main glissant de la hanche aux pieds de Junk afin de ne jamais perdre le contact avec lui et donc sa vue, Seize se pencha sur le Tramp agonisant.

D'un petit geste de la main, elle tenta d'éloigner Wresh qui la gênait. La brune refusa tout d'abord. Alors Seize la toucha rapidement à la joue ; Wresh sursauta et bondit à un mètre de là.

– Elle va le tuer ! hurla-t-elle.

La jeune fille frottait sa joue comme si le contact l'avait brûlée. Seize secoua la tête sans répondre à l'accusation. Elle se pencha vers Spoilt, dont le visage avait grossi au-delà du volume d'un très gros ballon de football. Elle fit courir ses doigts sur la peau tuméfiée, les retirant de temps en temps avec une moue de dégoût visible. Elle suivit les contours dilatés du nez, les lèvres démesurément boursouflées, le menton bouffi. La jeune fille hésita sur la colonne molle du cou, ralentissant nettement lorsqu'elle arriva à l'endroit où aurait dû se trouver la trachée-artère, entre les deux clavicules.

– Pas avoir peur. Mal, mais pas peur.

Elle affermit sa prise sur le couteau de Mess et d'un geste sûr trancha la peau au creux du cou en remontant vers le haut sur un centimètre et demi. Il y eut étonnamment peu de sang. Mais de l'air jaillit de l'ouverture palpitante, Spoilt pouvait enfin respirer. Seize arracha le tuyau de bambou des mains de Crap et l'inséra de force dans la gorge ouverte.

– Là. Même si gonfler encore, respirer. Mais partir vite. Allergie grave. Lui pouvoir mourir encore. Cœur.

Elle se releva en essuyant la main qui avait touché Spoilt sur sa tunique. Le corps du jeune homme se détendit. Sa respiration continuait à rouler avec des sons inquiétants, mais au moins il respirait. Wresh jeta un regard ambigu à Seize, mi-reconnaissance, mi-rancune. Sa joue portait encore la marque du contact brûlant.

– Merci, fit-elle d'une voix sourde.

Ses mèches brunes pendaient lamentablement devant son visage empourpré. Puis elle ajouta d'un ton plaintif :

– Qu'est-ce que tu m'as fait ?

– Toi gêner. Pas comprendre assez vite. Je envoyer peur. Pardon. (La voix de Seize essayait d'exprimer toute la contrition possible.) Nous devoir bouger tout de suite. Cœur ton ami pas tenir ici. Masque pas protéger pollens.

Elle effleura le poignet de Junk qui acquiesça, comme si on lui avait donné un ordre inaudible. Il se pencha et chargea Spoilt sur son dos. Seize s'accrocha à lui, le plus loin possible de son chargement humain.

Les Tramps chuchotèrent entre eux. Les facultés insolites de Seize leur collaient une frousse de tous les diables. Surtout à,Crap, qui gardait les yeux rivés sur elle avec une circonspection admirative que, jusque-là, il avait réservée à Trash. Son jumeau se rapprocha de lui et lui serra l'épaule. Les deux frères échangèrent un regard, ils n'avaient jamais eu besoin de beaucoup plus pour se comprendre. Mais depuis qu'ils s'étaient retrouvés orphelins lorsque des BloodKlans en maraude avaient ravagé la petite communauté noire où vivaient leurs parents, leur capacité à ressentir les réactions de l'autre était quasiment devenue de la télépathie. Crap fit aussitôt le lien avec les pouvoirs de Seize et se détendit.

– Partons, ordonna Trash.

Ils s'enfoncèrent précipitamment dans les serres, ivres de parfums, de terreurs inexprimées, et pressés de quitter ce paradis vénéneux.

CHAPITRE

8

La sortie n'était plus très loin. Trash s'accroupit sous les feuilles lancéolées d'un petit palmier et scruta les escaliers qui montaient vers l'extérieur en face d'elle. L'objectif d'une caméra étincela au-dessus de l'arche de béton encadrant les premières marches. Elle ne fonctionnait pas pour l'instant, car le mécanisme était couplé à un détecteur de son. D'ici, ce serait assez simple de l'exploser d'une balle, mais la panne attirerait immanquablement l'attention des Bleus.

Worm et Junk se faufilèrent près de la Chef, Seize toujours en remorque. Trash leur fit de la place, non sans couler un regard agacé à cette dernière. Junk n'intercepta pas le coup d'œil, mais Worm, oui. Perplexe, il contempla les deux filles avec attention, puis Junk, ensuite il se mordit les lèvres.

Merde, si la Chef commence à être jalouse de la nouvelle recrue, ça va compliquer les choses!

Junk, totalement inconscient du problème, examinait les escaliers et attribua la nervosité de Trash à l'obstacle. Il se retint de siffler entre ses dents.

– T'as prévu quelque chose contre ça? chuchota-t-il.

Trash secoua la tête.

– On ne devait pas passer par ici, je te le rappelle. Sur le trajet initial, il n'y avait aucun couplage caméra/détecteur de son.

– On repart en arrière?

Ils se turent un instant, tandis que Trash pesait sa réponse. Seize rompit le silence:

– Pluie, dit-elle fermement. Attendre pluie.

Les deux autres la contemplèrent, ahuris.

– Elle a perdu la boule, ta protégée? murmura Trash.

Junk resta interdit, se demandant depuis *quand* Seize était devenue *sa* protégée. Cette dernière insista:

– Pluie tomber bientôt.

Du doigt, elle désigna le plafond, et ses deux compagnons aperçurent les minuscules sprinklers au-dessus de leurs têtes. Placés en quinconce, c'étaient eux qui dispensaient la bruine intermittente qui leur tombait dessus depuis leur entrée dans les serres et les trempait insidieusement.

– La pluie tombera bientôt, rectifia Mud qui les avait rejoints et que Worm avait mis au courant.

Docile, Seize répéta :

– La pluie tombera bientôt.

Mud se tourna vers Trash :

– Ce qu'elle veut dire, c'est que l'arrosage automatique va s'enclencher...

– Et alors ? Ça arrose pas déjà, ça ? fit Junk en désignant la brouillasse humide.

Mud fit non de la tête et dit d'une voix chevrotante :

– Faut deux bonnes pluies tropicales en plus par jour, je le sais parce que mon père était jardinier dans ce complexe avant de...

Il n'acheva pas, sa voix sembla sur le point de se briser, mais il se reprit et ajouta :

– La pluie fera un boucan de tous les diables. On pourra shooter la caméra à ce moment-là, je pense.

Junk intervint vivement :

– Non, on n'aura même pas besoin de la shooter ! Le détecteur la déclenchera pas. Il est sûrement programmé pour ignorer les bruits « normaux », il sera paralysé par ses propres paramètres. Bravo, petite, acheva-t-il en donnant une légère tape approbatrice à Seize.

Il manqua à nouveau la grimace fugitive qui déforma les traits lisses de sa Chef. Mais Worm, lui, la nota et commença à s'inquiéter sérieusement. Il fixa le bout de ses pieds, indécis. Devait-il avertir Junk de ce qui se passait ou laisser les grands se débrouiller entre eux ? Quand il releva le menton, il rencontra le regard glacé de Trash. Il sut aussitôt qu'elle avait suivi le cours de ses pensées. Alors, il opina silencieusement lorsque Trash lui souffla :

– Non.

Seize semblait aussi inconsciente que Junk du trouble qu'elle suscitait chez la Chef des Tramps, se dit Worm. Il haussa les épaules : allons, les grands savaient faire face à ce genre de bêtises, ce n'était pas à lui de s'en préoccuper.

– Attendre pluie, reprit Seize. Espérer temps court.

– En espérant que la pluie ne tarde pas trop, traduisit machinalement Mud. Pourquoi ?

– En espérant que la pluie ne tarde pas trop, répéta Seize en bonne élève. Lui mourir bientôt si traîner. Cœur s'arrêter bientôt. Toujours pollens, toujours allergie. Lui quitter endroit ou mourir. Je dire déjà.

– Je l'ai déjà dit, corrigea Mud.

– Je l'ai déjà...

– Arrête de faire le perroquet comme ça, Sickteen, c'est insupportable ! la coupa Trash avec brutalité.

Seize et Junk sursautèrent de concert, surpris par l'éclat soudain de la jeune femme :

– Mais tu lui as dit d'apprendre à parler correctement, faudrait savoir ! s'insurgea le Second.

– Elle n'a qu'à répéter dans sa tête ! s'obstina Trash. Bon, cette pluie de merde, elle arrive quand ?

Du regard, elle interrogea Mud, qui écarta les mains en signe d'ignorance :

– Je ne sais...

Il n'eut pas le temps d'achever sa phrase qu'un petit staccato se fit entendre sur les feuilles. Au départ, ce ne furent que des gouttes un peu plus grosses, dispersées, qui s'infiltraient dans le cou, tombaient dans les yeux des Tramps comme d'énormes larmes ou s'écrasaient en larges étoiles de cristal sur les pétales multicolores alentour. Puis ce fut une douche lourde, presque brutale, qui ploya les feuilles le long des troncs et plaqua les cheveux sur les crânes offerts. Le vacarme devint épouvantable, on aurait dit que des milliers de marteaux s'abattaient sur la jungle souterraine.

– Maintenant! souffla Trash.

À son ordre, la bande passa sous la caméra toujours inactivée et se rua vers les escaliers. Ils les gravirent au pas de course, enfilant deux cents marches au moins avant de s'arrêter pour souffler au premier palier.

Il y eut un long silence, seulement entrecoupé de raclements de gorge et de halètements. Wresh le rompit d'une voix angoissée:

– Spoilt ne respire plus!

En effet, malgré le masque qui le protégeait et le tuyau enfoncé dans sa gorge ouverte, le garçon reprenait une sinistre teinte bleue. Junk le reposa à terre, tandis que Seize palpait la poitrine du gosse avec précaution.

– Quoi Seize craindre. Cœur pas supporter. Massage ou choc électrique. Sinon...

La jeune fille leva les mains en l'air et les agita avec un pessimisme visible. Wresh gémit, ses longs cheveux trempés masquant son visage désespéré :

– Faites quelque chose !!

Seize secoua la tête avec compassion :

– Je pas savoir massage cardiaque.

– Un choc électrique, t'as dit ? intervint Worm. Wresh ? Je le shoote au Tazze, ton mec ? T'es d'ac ?

Wresh lui jeta un regard vide, elle ne comprenait pas. Mais Seize approuva vivement :

– Oui ! Idée très bonne ! Faire ça !

Worm dégaina son Tazze, quêta d'un regard l'accord de Trash, l'obtint et régla son arme à la puissance minimale. Il tira. Les deux flèches d'acier se fichèrent dans la poitrine inerte de Spoilt.

Le corps du garçon s'arqua d'un coup en une convulsion impressionnante. Il retomba aussitôt ; sa tête ballotta mollement. Mais il n'y eut pas de changement notable.

Wresh se laissa tomber à genoux et sanglota. La grande Shabby s'approcha d'elle pour la prendre dans ses bras, mais son amie la repoussa en pleurant de plus belle.

Penaude, Shabby rejoignit Spent qui s'était tassé dans un coin pour ne gêner personne. Le gros garçon secouait sans arrêt ses dreadlocks vertes comme en réponse à une musique fébrile qu'il était seul à entendre. Shift et Crap se rongeaient nerveusement les ongles, le regard perdu dans le vague. Mud et Mess avaient gravi quelques marches pour contempler la scène de haut.

Sans qu'ils en aient conscience, leurs doigts s'étaient enlacés. Ils se tenaient par la main comme s'ils s'agrippaient à une bouée. La même expression ambiguë se lisait sur tous les visages: on n'aimait guère Spoilt mais c'était un Tramp, merde!

– Recommencer! s'écria Seize.

Worm tendit la main vers Mud. Celui-ci n'eut pas besoin de dessin: il lâcha Mess, redescendit aussitôt et échangea son arme chargée contre celle de son ami. Worm ajustait sa visée, il allait tirer quand Seize suggéra:

– Plus fort courant, possible?

Worm hocha la tête, augmenta l'intensité et appuya sur la détente. Deux autres flèches s'enfoncèrent à quelques millimètres des précédentes sur le torse inanimé.

Cette fois, la convulsion fut si violente que Spoilt décolla littéralement du sol avant de retomber comme un gros sac mou. Mais lorsque son dos retoucha terre, le jeune garçon eut un hoquet et haleta. Il respirait mal mais il respirait.

Tout le monde soupira de soulagement, même Junk qui s'était pourtant juré un peu plus tôt de l'achever lui-même en cas de crise, et même Seize qui depuis le début ressentait une antipathie viscérale pour le garçon. Il fallut retenir Wresh en larmes qui, se ruant vers Spoilt pour le serrer contre elle, menaçait de l'étouffer à nouveau.

Seize examina le malade un petit moment, puis se pencha sur lui et, d'un geste sec, retira sans prévenir le tuyau de bambou fiché dans le larynx. Spoilt gémit sourdement ; aucun son ne franchit ses lèvres, car l'air ne parvenait plus jusqu'à ses cordes vocales. Le trou dans la trachée qui lui avait sauvé la vie le rendait muet.

– Refermer, dit la jeune fille. Sinon lui plus parler. Air partir avant cordes vocales.

– C'est un problème ? ironisa Mess. Mais bon, ça c'est dans mes « cordes » à moi.

La jeune Asiatique fit mine d'ignorer le regard lourd de reproches que lui jeta Wresh lorsqu'elle lui passa devant en redescendant de son perchoir. Elle fouilla dans la Trousse des Derniers Secours et en sortit une bandelette couverte d'un baume rose. Elle décolla la protection transparente et appliqua le pansement sur la gorge de Spoilt. Le baume durcit à l'air libre avec un petit sifflement, refermant la plaie. Spoilt gémit à nouveau, cette fois le son rauque était issu directement de sa bouche.

– Ne force pas trop quand même, fit Mess railleuse. On n'est pas si pressés que ça de t'entendre...

Spoilt se redressa lentement. Il conservait son aspect bouffi et ses doigts avaient encore l'air de boudins, mais il allait visiblement beaucoup mieux. Trash le fixa un instant, se contentant de lui dire :

– Au retour, on passera par le chemin habituel...

Il la remercia vaguement d'un hochement de menton, mais ses petits yeux porcins, encore plus enfouis dans sa figure tuméfiée, ne lâchaient pas le dos de Mess, inconsciente de la haine franche qui s'y lisait désormais.

Il ne restait plus qu'à rejoindre la surface et se glisser le long des voies du tramway. Les caméras suivantes furent plus aisées à circonvenir. Il suffisait d'étudier leurs mouvements assez rudimentaires et de se glisser dans les angles morts au bon moment. Lorsque les Tramps surgirent enfin à l'air libre, la tension se relâcha un instant sur leurs traits tirés. Spent inspira avec délices l'air de la cité :

– Oh fachte ! Ça sent vraiment bon chez les riches, putaincong !

Trash approuva distraitement.

– L'air des Bulles est enrichi d'oxygène pur et filtré. Et puis il y a les jardins...

Elle fronça les sourcils :

– Vous surveillez Spoilt, il risque de nous... Merde ! s'exclama-t-elle.

– Quoi ? fit Junk.

Mais Trash l'ignora et se tourna vers Spoilt.

– Tu ne peux pas venir avec nous jusqu'au bout : le parc Montsouris est un jardin, il y a des plantes comme en bas, tu risques la même histoire.

Spoilt balbutia :

– Ben alors, Chef, qu'est-ce que je vais faire ?

– Tu nous attendras à l'entrée ! Nous te dénicherons une cachette et nous te récupérerons au retour. Si tu ne nous vois pas revenir d'ici deux jours, tu vas nous attendre au point de passage habituel, à la Station Saint-Michel. Là-bas, tu attends encore trois ou quatre heures, puis tu files à la Poubelle. OK ?

Spoilt opina humblement, soulagé qu'elle n'ait pas pensé à l'abandonner. Junk, lui, l'aurait fait : le garçon l'avait lu dans les yeux sombres du Second posés sur lui. Il détourna le regard pour tomber sur celui de Seize. La jeune fille avait la tête penchée de côté et affichait une moue réprobatrice, comme si elle entendait un son désagréable.

La salope, elle lit dans mes pensées ! grinça mentalement Spoilt.

Il la fixa d'un air méchant et, de façon délibérée, évoqua les longues cuisses de la jeune fille avec lubricité. Il eut la satisfaction immédiate de la voir rougir. Cependant, il se dit aussitôt qu'il ferait mieux de se tenir loin d'elle. La garce était dotée de pouvoirs très inquiétants.

La bande reprit la route sans trop de précautions. La nuit était tombée et la probabilité qu'on les surprenne ici était quasi nulle. Les rails des tramways sinuaient, coincés entre deux parois aveugles, hautes d'une dizaine de mètres. En restant bien plaqués contre les murs, les gamins couraient peu de risques d'être repérés depuis les fenêtres des bâtiments qui donnaient sur les voies.

De temps en temps, une longue rame illuminée passait silencieusement. Les Tramps se tapissaient alors contre le talus jusqu'à la disparition du train. Quelqu'un fit la remarque que se cacher n'était peut-être pas très utile : il n'y avait quasiment personne dans les habitacles. Trash se tourna vers son Second.

– Junk?

– Ouais?

– C'est quand même étrange qu'il y ait si peu de monde, tu ne trouves pas?

– Je te dis que ça pue depuis le début, cette histoire!!

– Allons, ils ne videraient pas tout un arrondissement, rien que pour mettre la main sur des loqueteux comme nous, raisonna-t-elle. Non, je suis sûre que c'est autre chose...

Seize se glissa devant Junk sans le lâcher et braqua son regard rosâtre sur la jeune femme. Avec aigreur, Trash pensa que la fille pouvait se décramponner de Junk puisqu'elle y voyait désormais beaucoup mieux qu'eux.

– Malades ou peur malades. Épidémie Nada4. Gens rester chez eux. Faire livrer par domestiques. Plus sûr.

– Le 4 a gagné la Bulle à ce point-là? fit Trash, les yeux ronds. Mais nous, dans les banlieues, nous sommes beaucoup moins touchés!

Seize fit signe qu'elle n'en savait pas plus.

Trash haussa les épaules et se remit en route. La bande s'ébranla derrière elle. Ils avancèrent un moment encore en silence jusqu'à ce qu'elle désigne une échelle qui escaladait la paroi abrupte. Un peu plus haut, des branches apparaissaient.

– C'est là, fit-elle. Le parc Montsouris.

Elle appela Spoilt.

– Tu as vu la niche qu'on vient de dépasser?

Le garçon acquiesça.

– Tu restes là. Que quelqu'un lui laisse une bouteille d'eau, plus une ou deux barres nutritives.

Mess fouilla dans sa trousse pour les barres et les tendit sans un mot au garçon, tandis que la grande Shabby se délestait d'une bouteille d'eau qu'elle avait conservée dans son propre sac.

– Merci, fit Spoilt à Shabby.

Il ignora délibérément Mess. Tant mieux, la jeune fille préférait quand le «porc vicelard» l'oubliait. Même pour la remercier. Elle l'aurait soigné avec le même acharnement que n'importe quel membre du gang, mais en dehors de ça, elle ne pouvait pas le supporter.

Mess avait rejoint les Tramps lorsque son gang d'origine avait été exterminé par un virus inconnu et elle s'était juré de tout faire pour empêcher que cela n'arrive de nouveau. Depuis, elle qui n'avait pu apprendre à lire suivait tous les cours vidéo de médecine sur l'Externet et, au besoin, s'en faisait faire la lecture. Cependant, Spoilt lui faisait toucher les limites du serment d'Hippocrate[1] qu'elle s'était prêté à elle-même.

Elle grimaça de dégoût et suivit Shabby qui empruntait l'échelle à son tour. Wresh resta un moment en arrière.

– Tu fais bien attention à toi, hein? dit-elle à son compagnon, la voix tremblante.

1. Serment prononcé par les médecins lors de l'obtention de leur diplôme.

– T'inquiète, répondit-il d'une voix encore mal assurée. C'est plutôt toi qui devras faire attention, OK?

– OK!

Elle le fixa, semblant attendre quelque chose qui ne vint pas. Au lieu de l'embrasser, Spoilt avait déjà tourné les talons et se faufilait dans la niche désignée par Trash. Il lui fit un petit salut de la main. Pas froid, non, mais pas très chaleureux non plus.

Il doit se sentir encore mal à cause de sa crise, se dit la jeune fille pour se réconforter. Et elle escalada l'échelle à la suite des autres.

CHAPITRE 9

L'ancienne cache des Tangs se trouvait sous le grand Réservoir du parc Montsouris. De l'extérieur, il ressemblait à un fort militaire de l'ère préindustrielle : aveugle, carré, biseauté plutôt, en briques rouges vernissées, de la taille de plusieurs pâtés de maisons. On pouvait y accéder de deux façons : soit par la surface, *via* une grande porte toute simple, soit par le réseau des catacombes dont une entrée se trouvait dans le parc, à quelques mètres à peine de l'échelle qu'avaient empruntée les Tramps.

Cependant Trash ne les conduisit pas immédiatement au Réservoir : elle préféra se diriger vers le cœur du parc qui s'étendait sur trois collines de pentes inégales. Les deux plus grandes offraient leurs courbes douces aux promeneurs – absents à cette heure avancée de la soirée – et créaient à leur pied un petit vallon où un étang s'étalait dans une orgie de nénuphars roses en fleur. Au milieu de l'eau, sur une île minuscule, se dressait une cabane de roseaux tressés qui abritait une dizaine de canards, un héron solitaire aux ailes rognées et deux cygnes dont la blancheur nacrée tranchait dans la semi-obscurité.

Une fois au bord de l'eau, Trash se tourna vers ses compagnons :

– Bon, on laisse nos armes et les fournitures.

Elle ignora résolument le concert de protestations qui s'ensuivit.

– Vous tenez tant que ça à en faire cadeau à Markus? se contenta-t-elle de rétorquer.

Les armes s'entassèrent à ses pieds. Crap et Shift les roulèrent dans le grand blouson de Junk que la température si clémente sous la Bulle rendait inutile. Trash fit quelques pas le long de la margelle qui entourait le bassin, trempant ses doigts dans l'eau. Soudain, elle s'arrêta. Dans l'obscurité, on ne pouvait déchiffrer son expression, mais son ton triomphal ne trompa personne :

– C'est là ! OK, Worm, amène-toi !

Le gosse obéit aussitôt et ses doigts plongèrent à côté de ceux de sa Chef. À quelques centimètres sous la surface, il sentit le petit muret de béton large d'une vingtaine de centimètres qui courait en droite ligne vers l'îlot. Il fit signe qu'il avait compris. Il se chargea du ballot d'armes d'abord. Chancelant sous le poids, il posa sans hésitation son pied sur la digue engloutie, et fit l'aller-retour en un rien de temps, sans même réveiller les oiseaux dispersés sur l'îlot. Le ballot avait été déposé à l'intérieur de la cabane, on ne pouvait l'apercevoir de la rive. Il fit de même avec les sacs de ses camarades.

– Bien, dit Trash. La plupart des gangboys ne savent pas nager, ils n'auront même pas l'idée qu'on ait pu cacher un truc sur l'île! On peut aller au rendez-vous maintenant.

– Mais, Chef, dit Worm, je suis allé à pied quasiment sec à la cabane...

– Toi et moi, nous le savons, Wormie Worm, mais les autres?

Elle sourit avec malice. Worm lui jeta un regard un peu étonné. Dans cet environnement insolite pour lui, la jeune femme semblait bizarrement décontractée, comme si elle renouait avec quelque chose d'ancien et d'agréable. Peut-être que Trash s'était promenée enfant dans ce jardin si calme, auprès de ces oiseaux trop confiants qui, partout ailleurs à l'extérieur de la Bulle, auraient représenté le déjeuner de quelqu'un. Il leva les yeux vers le visage de Junk qui ne les avait pas quittés d'une semelle et comprit que les mêmes pensées lui avaient traversé l'esprit. La seule différence, c'est que l'expression du Second était carrément sidérée.

Trash haussa les épaules et articula doucement à l'adresse de son ami:

– Je venais souvent me promener ici avec ma mère quand j'avais cinq ou six ans...

Rien de plus. Mais Junk sembla se détendre et Worm se dit que celui-ci avait eu la réponse qu'il souhaitait entendre.

– Allez, on se bouge ! lança la jeune femme.

Les Tramps s'ébranlèrent mollement. L'abandon de leurs armes les avait quelque peu démoralisés. Désormais, ils se sentaient nus dans ce lieu inhabituel, dont la douceur même pouvait dissimuler des pièges. Ils grimpèrent sans enthousiasme la troisième colline, dont l'un des versants plongeait droit vers une galerie qui s'ouvrait entre deux buissons et s'enfonçait dans le sol.

Trash s'y engagea la première, suivie de Shabby et Crap qui allumèrent aussitôt leurs lampes. Les autres leur emboîtèrent le pas.

– Quelle cagade, ces couloirs ! Je serais bien resté un peu plus longtemps dehors, grogna Spent.

Shift le fit taire tandis que Seize murmurait dans l'oreille de Junk :

– Ennemis ou inquiets. Pas loin. Vingt, au moins.

Dans la lumière d'une lampe, Junk vit le petit visage désolé, Seize s'excusait presque de ne pouvoir être plus précise. Le Second la rassura en lui tapotant la main, profitant sans même en avoir conscience de la sensation de calme et de confiance qu'elle lui transmettait en retour. Il s'y habituait. Mieux, il commençait vraiment à l'apprécier, presque à la rechercher. Il se pencha sur Trash pour répercuter le message.

– Gangs ou Bleus? demanda-t-elle seulement.

Junk serra doucement les doigts de Seize pour l'inciter à répondre elle-même:

– Gangs, répondit la jeune fille sans hésiter. Jeunes.

Les Tramps n'avaient pas fait cent mètres dans le boyau qu'une voix jaillie de la pénombre les arrêta:

– Halte! Qui êtes-vous?

Un projecteur éblouissant s'alluma dans leur direction. Ils levèrent les bras pour protéger leurs yeux. Seize gémit sourdement. Elle avait pourtant anticipé le déferlement agressif de lumière, mais même ses mains pressées contre ses yeux fragiles ne parvenaient pas à arrêter le flot étincelant qui semblait passer au travers de sa chair. Pour la jeune fille, le monde venait de se réduire à un brouillard rouge et hostile, où la présence amicale de Junk semblait le seul refuge.

Trash, le visage caché au creux de son coude, agita les deux mains en direction de leurs interlocuteurs:

– Tramps! hurla-t-elle. Markus nous a invités.

– T'es la petite Trash? grogna-t-on dans l'ombre.

Junk sursauta. En d'autres temps, le connard qui venait de parler aurait signé son arrêt de mort pour moins que ça. Le Second attendit la réponse de sa Chef avec une certaine inquiétude. Mais Trash se contenta de laisser froidement tomber:

– Ouais.

– Et z'êtes combien en tout?

– Dou... onze! intervint Junk qui se rappela soudain Spoilt abandonné dans sa niche.

– On va vous fouiller, pas question que vous entriez armés!

– Pas d'armes avec nous, rétorqua Junk.

– Ouais, ben on va s'en assurer.

– Ouais, ben, répéta Trash sur le même ton, dans ce cas j'espère que vous avez une fille avec vous. Aucun de vos pervers ne touche ni moi ni mes gamines, c'est clair?

L'autre soupira:

– Pas de doute, t'es bien Trash! Calder avait dit que tu ferais ta mijaurée pour les trucs les plus simples...

Trash haussa les épaules et croisa les bras, les yeux toujours fermés, mais faisant crânement face au projecteur.

– OK, mon petit, voici comment je vois les choses: ton patron nous a invités, c'est lui qui veut nous voir, nous, nous n'y tenons pas tant que ça. Donc, ou tu trouves une fille pour ton sale boulot ou nous rentrons chez nous. C'est assez clair, ça?

Un silence consterné ponctua cette déclaration.

– Et tu as dix minutes pour ça! martela Trash, histoire de faire bon poids.

– T'es vraiment une chieuse, hein?

Trash ne cilla pas et se contenta de dire très doucement par-dessus son épaule:

– Junk?

L'interpellé connaissait ce ton. Il dégagea en douceur sa main de celle de Seize :

– Ouais ?

– Fais-moi la grâce de lui péter la gueule, s'il te plaît.

Junk ne répondit pas et avança d'un pas fluide dans la lumière aveuglante.

– Hé ! Mais qu'est-ce que tu crois faire, conna...

L'exclamation s'acheva dans un gargouillement : d'un mouvement gracieux, que ses adversaires avaient été les seuls à entrevoir, Junk avait cueilli son interlocuteur poing fermé, phalanges pointées en avant, direct dans la gorge, sans viser, comme s'il avait toujours su où la cible se trouvait. Le garçon tomba d'un bloc en griffant la peau de son cou, la figure rouge. Quant à ses séides, sidérés par la soudaineté et la précision inouïes de l'attaque, ils n'osaient plus bouger. Bordel, le géant avait aligné leur Chef comme à la parade, les yeux fermés, en se repérant seulement à sa voix !

– Si tu te calmes, ta glotte va se décoincer dans une dizaine de secondes, dit tranquillement Junk. J'ai dosé. La prochaine fois, tu parles correct à la dame ou j'écrase ton cou de poulet, vu ?

Sa victime gargouilla quelque chose qui pouvait passer pour un accord tandis que Junk se tournait vers les autres :

– Bon, vous nous trouvez une fille pour la fouille, ou on se tire sans se dire adieu ?

Un grand blond dont l'esprit semblait plus vif que celui des autres hocha vigoureusement la tête avant de détaler. Il revint presque aussitôt accompagné d'une donzelle trop maquillée et très peu vêtue. Trash pinça les lèvres et ne dit rien. L'adolescente était clairement une «fille de plaisance», mais c'était mieux qu'un gars dans ces circonstances.

La nouvelle venue, aux cheveux teints en blond improbable, presque blanc, s'acquitta de sa tâche avec mauvaise grâce. Quand la fouille fut terminée, un autre gangboy et la fille se dévouèrent pour les guider tous jusqu'au Réservoir. Le trajet prit environ une demi-heure. Les Tramps se taisaient, impressionnés par l'assurance avec laquelle leurs hôtes se déplaçaient dans ce labyrinthe. À un moment, Trash se pencha vers Junk et lui susurra à l'oreille :

– Ils nous promènent. Le Réservoir ne peut pas être si loin : en surface, il est à deux cents mètres de l'entrée que nous avons prise...

– Je te dis que ça pue, répéta obstinément Junk. Mais t'inquiète, j'ai semé des petits cailloux blancs.

Trash sourit à cette évocation d'un des contes préférés de Junk. Il voulait seulement dire qu'il avait repéré le chemin, mais c'était joli comme façon de s'exprimer.

Personne ne les prévint, alors les Tramps trébuchèrent en chœur sur le dénivelé qui les attendait à la sortie du tunnel, la lumière intense issue de la salle immense leur dissimulant la différence de niveau. Mais ils ne firent pas attention à cette menue mesquinerie, et se contentèrent d'entourer nerveusement leur Chef en contemplant l'impressionnant spectacle qui s'offrait à eux, la bouche ouverte de stupéfaction.

Sous une verrière Art déco, ornée de fleurs multicolores effervescentes, un grand lac entourait une île. La lumière étincelante des projecteurs faisait rutiler les briques vernissées de rouge sur lesquelles des lis d'eau peints éclataient en jaune et blanc.

– C'est un sacré palais pour un trou d'eau potable, non ? chuchota Worm.

– Ils aimaient ça, il y a longtemps : beaucoup d'énergie et de fanfreluches pour pas grand-chose, répondit Trash. Tu devrais voir la piscine de la Butte-aux-Cailles à côté... Ah, ce Markus, quel frimeur ! Il y avait des centaines de salles plus pratiques que celle-ci !

Junk, lui, ne prêtait aucune attention aux magnificences architecturales. Il se concentrait sur la foule réunie dans l'îlot. Il y avait environ trois cents gangboys. La rive était trop loin de l'île pour qu'on puisse apercevoir distinctement les visages, mais le colosse fronça les sourcils :

– C'est pas Markus, ce type ! fit-il en désignant un garçon frisé perché sur une tourelle dressée en plein centre de l'île.

– Non, c'est son lieutenant, Calder, répondit Trash.

Seize ouvrit la bouche, puis la referma. Elle lâcha la main de Junk malgré la lumière qui la rendait totalement aveugle. Elle hulula doucement. Surpris, Junk se tourna vers elle.

– Qu'est-ce qu'il y a?

La jeune fille secoua la tête, comme si elle ne parvenait pas à trouver les mots justes.

– Frisé, inquiet. Chef, lui, en retard.

– Taisez-vous, ils viennent nous chercher!

C'était Trash qui désignait les deux barques voguant lentement vers eux. Elle fit signe au gang de se réunir autour d'elle. Les Tramps se regroupèrent et éloignèrent sèchement la fille de plaisance et son compagnon, qui ne se le firent pas dire deux fois et filèrent par le couloir.

– Je n'aime pas du tout qu'ils nous coincent sur l'île... Qui parmi vous sait nager? Parce que, dans le Réservoir, on n'a pas pied, dit-elle.

Deux mains se levèrent, celles de Seize et Mud. Trash soupira:

– Bon, si quelque chose tourne mal, jetez-vous à l'eau quand même!

Elle ignora les protestations assourdies qui fusaient autour d'elle.

– Si c'est un piège, les premiers trucs qu'ils surveilleront, ce seront les barques. N'essayez pas de flotter à la surface, plongez et faites comme ça aussi fort que vous pourrez avec les bras.

Elle leur mima un mouvement de brasse.

– Nagez droit devant vous, en essayant de remonter à la surface le moins possible pour respirer, jusqu'à ce que vous parveniez au bord, d'ac? Après, vous courrez aussi vite que possible et on se retrouve tous du côté de l'échelle qu'on a escaladée pour accéder au parc...

Ils acquiescèrent en silence. Lorsque la première barque approcha du bord, ils la regardèrent accoster d'un air méfiant. Ils embarquèrent tout de même sans protester. Seuls, Mess et Mud souriaient un peu : cette promenade inattendue en bateau leur faisait l'effet d'un jeu. Ils étaient ravis de la balade et laissaient leurs mains tremper au fil de l'eau...

CHAPITRE

10

Dès que les Tramps eurent mis pied à terre, ils furent salués par des huées tandis que les barques repartaient vers la rive. Ils n'avaient pas très bonne presse parmi les autres bandes. On les appelait les Clochards – quand ils n'étaient pas à portée d'oreille – à cause de leurs activités de récupération. Sans doute que l'assassinat, le vol à main armée, la prostitution forcée ou la vente de came étaient plus *nobles*, en quelque sorte... On leur en voulait également de tirer avantage de leur commerce dérisoire pour tenir les autres gangs à distance respectable parce que, de ce fait, ils étaient mieux armés que n'importe qui. Les trois cents adolescents, en majorité des garçons assez baraqués, qui se pressaient sur l'îlot de briques, les regardèrent s'avancer avec un mépris ostensible.

Au centre de l'île se dressait un phare en modèle réduit, qui était en fait, Trash le savait grâce au Net, une cheminée dans laquelle une échelle métallique plongeait jusqu'en dessous de la surface du lac. Elle débouchait sur une salle dont le plafond bas n'était rien de plus que le fond de pierres du bassin lui-même. Les équipes de maintenance s'en servaient jadis pour détecter les fuites. Markus arriverait sans doute par là.

– Z'êtes les derniers, les mecs ! ricana Calder, juché sur le phare, en agitant sa tignasse bouclée. C'est vot' brushing qui vous a pris tout ce temps ?

Un concert de rires serviles accueillit la moquerie. Trash haussa les épaules et leva crânement le menton :

– Non, mais apparemment le maquillage de Markus, lui, c'est toujours un souci... Il est encore allergique à son antirides ?

Le silence tomba, de plomb. On attendait la réponse du lieutenant parisien avec une certaine angoisse. Calder voulut rétorquer, mais un de ses camarades lui donna un coup de coude et le garçon haussa les épaules à son tour :

– Toujours aussi grande gueule, je vois...

De son perchoir, il toisait Trash de toute sa hauteur. Elle ne lui fit même pas l'honneur de relever sa pique, croisant simplement les bras et signifiant ainsi qu'elle attendait la fin des stupidités. Le mouvement attira l'attention de Calder sur la quasi-absence de poitrine de Trash, il haussa un sourcil goguenard et pinça intentionnellement les seins voluptueux d'une fille pas très habillée pour la saison qui était pendue à son cou. La ganggirl gloussa bêtement en fixant ouvertement la Chef des Tramps.

– Une aussi grande gueule dans aussi peu de fille, ajouta Calder.

– Je savais pas qu'on était là pour échanger des vannes à la con, grommela Junk assez fort pour qu'on l'entende.

Calder ne put résister et lança à la cantonade :

– Hé les mecs, c'est extraordinaire, les Tramps ont ramené leur gorille apprivoisé !

Dans l'assistance, les rires furent mesurés, surtout à proximité immédiate des poings noueux du colosse. Trash et Seize posèrent en même temps une main apaisante sur l'avant-bras de Junk. Seulement Trash, avisant les petits doigts tremblants de l'étrangère sur la manche de son Second, laissa retomber aussitôt les siens.

– Laisse, Junkie Junk, il vaut mieux être un gorille apprivoisé qu'une larve, susurra-t-elle. Bon, où est ton putain de Chef, Calder, avant qu'on se tire pour échapper à tes postillons?

Calder eut une moue dédaigneuse qui masquait mal une ignorance assortie d'une inquiétude tout à fait étrange. Il écarta les bras et rétorqua d'une voix assez ferme :

– Markus n'a de comptes à rendre à personne ! Il viendra quand ça lui chant...

Mais un cri modulé l'interrompit net. Seize, qui avait lâché Junk, s'était mise à tourner sur elle-même en hurlant. Sur la rive, elle avait déjà émis ce son – en bien moins fort – pour sentir les pensées de Calder, mais là, c'était le même hululement atonal que celui qui les avait alertés lorsqu'elle tentait d'échapper aux vieux.

– Elle perd la boule, votre fille de plaisance ? interrogea sardoniquement Calder, trompé par la tenue succincte de la jeune fille.

Junk se précipita sur Seize pour la saisir et l'empêcher de jouer les derviches tourneurs. Elle trébucha contre lui. Sans le vouloir, il la reçut contre sa poitrine où, entre deux sanglots, elle lui murmura :

– Bleus ! Bleus partout ! Hostiles... Arriver d'en bas...

Elle désignait la cheminée de son petit menton tremblant.

– Calder ignorer. Nous, fuir, fuir...

Trash pencha vivement la tête de côté, elle avait saisi l'essentiel du message. Elle jeta un regard circulaire aux Tramps serrés autour d'elle, puis aux barques qui avaient rejoint la rive, hors de leur portée. Ils étaient coincés sur l'îlot. Avec les autres gangs.

– Les Bleus? Ils arrivent par les couloirs aussi? chuchota-t-elle.

Entre deux sanglots, Seize parvint à articuler :

– Pas tous les couloirs, pas tous !!

– Tu pourrais nous guider?

– Je... sais pas, geignit-elle. Hostiles, Bleus très... hostiles. Hostilité déchirer... cerveau je.

Elle levait ses yeux bizarres vers Junk et leur couleur de rose noyée de larmes arracha un frisson au jeune homme. Les Tramps n'avaient rien perçu de cet échange. Quant aux autres gangboys, ils se contentaient de les fixer avec un peu d'étonnement et un rien d'ironie. Même leur fille de plaisance ne valait pas un clou. Quels clochards, ceux-là, vraiment !

Trash jeta un coup d'œil circulaire aux Tramps, accrochant leurs regards, un par un. Et chaque fois le Tramp ainsi scruté hochait brièvement le menton. Ils ne faisaient plus aucune attention à leurs hôtes désagréables : ils attendaient le signal de leur Chef.

– 1, 2, 3... Top !

Trash plongea la première, suivie de Junk et Seize. Les huit autres réagirent avec à peine un léger temps de retard. Mess marcha carrément sur le corps d'un Caviste que Wresh venait de renverser pour passer. Le gros Spent, Crap et Shift foncèrent de concert, et les quelques gangboys qui les avaient entourés à leur arrivée valsèrent comme autant de quilles. Plus cernés que les autres, Mud et Worm se faufilèrent dans les trouées de la foule et s'arrangèrent pour sauter à l'eau en happant Shabby au passage. La jeune fille se débattait dans la pogne d'un gangboy qui l'avait instinctivement retenue.

Les Bleus surgirent de la cheminée dans le dos de Calder à cet instant. Le lieutenant de Markus eut le triste honneur d'être le premier capturé. Une flèche anesthésiante se ficha dans son dos. Il tomba comme une masse sur la foule sidérée, trois mètres en dessous.

Pendant ce temps, venus de trois couloirs différents, d'autres flics se répandaient comme une marée sur les rives du lac. Ils mirent hors de combat les gangboys qui surveillaient les barques et montèrent dessus. Les dards incapacitants dégringolèrent sur les gangs affolés, coincés dans l'îlot et ne sachant où fuir, se bousculant les uns les autres sans aucune discipline. On entendait les Chefs désespérés aboyer des ordres indistincts et contradictoires. Certains tentèrent en vain de repousser les barques. D'autres se jetèrent à l'eau à la suite des Tramps mais se noyèrent pour la plupart.

Les Tramps, eux, ne perdaient pas leur calme et progressaient vaille que vaille vers la plage de briques. Une longue habitude de discipline de fer leur faisait appliquer les ordres de Trash avec une précision d'horloge. Ils nageaient sous l'eau comme elle le leur avait dit : refaisant surface par instants, au hasard d'un mouvement plus ample que les autres, respirant brusquement puis replongeant. Ils maîtrisaient leurs poumons torturés et leur crainte d'un élément qu'ils connaissaient si peu. Le truc, c'était de ne pas vouloir à toute force flotter mais de laisser faire l'eau, elle finissait toujours par vous ramener à la surface. La Chef avait dit que c'était possible, alors ça l'était. Là où Trash passait, un vrai Tramp passait aussi. Ou il crevait.

Junk mourait de froid, l'eau était glaciale. Il manquait d'air. Malgré ses brasses énormes, il avançait bien moins vite que les autres et s'enfonçait chaque fois plus profond. Dans son esprit totalement envahi par l'eau, il gardait une trace d'inquiétude pour Seize. La jeune fille l'avait lâché dès qu'ils avaient plongé. Il ne savait plus où elle était. Il avala de l'eau involontairement. Il sentit le liquide froid s'insinuer dans ses poumons, étouffa. Un hoquet faillit l'achever, mais lui sauva brièvement la vie en le forçant à tout recracher. La fatigue plombait ses gros membres de colosse.

Un instant, le Second des Tramps vit la tignasse rousse de Mud prendre de l'avance, deux bons mètres au moins, et l'ombre minuscule en remorque devait être Worm.

Les Tramps s'en sortent bien, pensa Junk avec une pointe d'amertume teintée de fierté. *C'est une bonne bande, quand même!*

Ce fut à cet instant qu'il renonça. Il lâcha prise et se laissa couler. Ses bras noueux cessèrent de brasser le liquide opaque devant lui. Les lumières des projecteurs qui balayaient la surface semblèrent devenir plus lointaines.

NON!

NON!

NON!

Ce fut comme une volée de cloches de bronze fêlé sous son crâne. Il crut qu'il devenait fou tandis qu'une colère monstrueuse nouait ses entrailles. Et là, il eut peur, car cette colère ne lui appartenait pas. Il ne savait pas d'où elle venait. Il pensa ensuite que c'était ça, la mort : les dernières hallucinations de son cerveau en train de se noyer. Bizarrement, cela le rassura et il se laissa descendre, en douceur, vers le fond, vers la fin.

NON! hurla-t-on encore dans son esprit.

Une petite main fine crocheta la longue mèche épaisse et blanche du Tramp, s'y agrippant fermement pour le remonter.

Junk fit surface aux côtés de Seize. Il emplit ses poumons avec une ferveur incrédule, s'étranglant à moitié. La jeune fille le tirait presque sans effort vers la rive. Il eut un éclair d'humour, et une image venue de ses incursions sur le Net avec Trash s'imposa à son esprit : un minuscule remorqueur guidant un supertanker de biocarburant.

Ils n'étaient plus qu'à quelques mètres du bord. Worm, Mud, Wresh et Trash prenaient pied sur la berge, les autres étaient déjà au sec. Enfin, les grosses pognes de Junk touchèrent la margelle de pierre rouge. Seize se hissa, une seconde avant lui. Ne s'accordant même pas le luxe de tousser, ils filèrent rejoindre leurs camarades. Bien qu'elle ne vît qu'à travers les yeux de Junk, Seize courait vite et avec grâce, sa main droite à peine posée sur l'épaule de déménageur du garçon.

Ils n'étaient pas seuls sur cette partie de la rive. Une escouade de Bleus attardés, qui n'avait pas encore embarqué, fonçait sur eux. Junk se prépara à les recevoir.

– Non, hurla Trash. Ils ont des incapacitants ! Il faut fuir !

Elle jeta un coup d'œil à Seize, qui sentit la question muette.

– Par là !

Son doigt désignait approximativement un couloir étroit sur la gauche. Les Tramps s'y ruèrent sans attendre l'ordre de Trash. Tout le monde se retrouva coudes au corps sous une pluie de flèches. Junk, Seize et Trash prirent la tête du peloton. Le Second entendit un corps s'affaisser derrière lui. Il ralentit.

– Non! lança Trash. On ne s'arrête pas. On ne ramasse personne. On court!

Il reprit de la vitesse, luttant contre la tentation taraudante de savoir qui était tombé. Il y eut encore une chute, suivie d'une troisième. Le jeune homme serra les dents. Seize lui envoya une onde de compassion, en même temps qu'une image : une galerie s'ouvrait vers la droite, il fallait la prendre. Il hocha la tête en réponse.

Seize les dirigeait sans explication, et Trash lui obéissait. Muette. Junk la sentait bouillonner à côté de lui. Mais il ne savait pas pourquoi. Cependant, il se dit que c'était bon signe de voir Trash manifester une émotion. Même à la limite de se faire prendre par les Bleus tout à l'heure au bord du lac, elle n'avait pas eu l'air plus affolée que ça. Seulement concentrée.

Seize les menait au hasard, semblait-il. Ils enfilaient des corridors sombres à toute vitesse pour en ressortir presque aussitôt ou même y repasser dix minutes plus tard. Puis ils empruntaient des galeries étroites qui finissaient en cul-de-sac avant de retourner sur leurs pas ou encore grimper une échelle de fer qui les conduisait au niveau supérieur, mais une demi-heure après ils dévalaient des escaliers et s'enfonçaient de cinq ou six niveaux. Parfois la jeune fille leur faisait signe de stopper.

Une fois, l'arrêt se prolongea une bonne minute. Dans le noir presque complet, Junk parvint enfin à distinguer les rescapés : ils n'étaient plus que sept. Mess, Spent, Trash, Wresh, Seize, Mud et lui. Bordel ! ils avaient perdu les jumeaux Shift et Crap, la grande Shabby et... Junk eut un regret plus poignant pour le petit Worm, si efficace et si enthousiaste, tombé aux côtés de sa sœur.

Cela dura une éternité. Seize les entraînait dans les couloirs les plus tortueux, les passages les plus étroits. Parfois, la jeune fille s'arrêtait brusquement et se mettait à hurler, inexplicablement, avant de se remettre à courir. À l'une de ces occasions, Trash s'énerva :

– Mais qu'est-ce qu'elle nous fait, à la fin?

Mud intervint timidement :

– Je crois que, quand elle crie, elle augmente sa portée de réception. Chaque fois qu'elle a fait ça, c'était pour repérer quelque chose qui n'était pas tout près.

– Son porter ondes cerveau. Plus précises... Ça être, expliqua Seize d'une voix rauque de fatigue.

– C'est ça, fit Mud, automatiquement.

– C'est ça... répéta Seize.

– Ah non ! Vous ne recommencez pas votre cirque, tous les deux ! bougonna Trash.

Mud se fit tout petit tandis que Seize désignait une autre direction. Les rescapés se remirent à courir.

Lors d'une pause ultérieure, Trash, penchée sur ses genoux, à la recherche de son souffle, interrogea Seize à nouveau :

– Tu connais si bien les couloirs que ça ? Tu sais où tu nous emmènes, Sickteen ?

Seize secoua la tête :

– Je... sais pas. Je voir vides. Emmener dans vides.

– En fait, tu vois les endroits où il n'y a personne ?

Seize fit non du menton et répéta lentement comme si ça expliquait tout :

– Je voir vides.

Junk intervint :

– Je crois que j'ai compris, je l'ai sentie faire deux ou trois fois. Quand elle a sa main sur moi, elle émet des choses. Elle perçoit pas les endroits, mais le fait qu'il y ait rien. Et là où il y a rien, y a pas de danger.

– Partir, maintenant, dit Seize d'un ton pressant. Eux venir !

Et la course haletante dans les ténèbres recommença.

Enfin Seize s'arrêta.

C'était dans une petite salle un peu éclairée par une loupiote clignotante. Les Tramps se laissèrent glisser à terre, un sol de poudre sombre qui devait être rougeâtre.

– Bleus finis, dit Seize, haletante. Eux arrêter poursuite.

Trash haussa les épaules :

– Et tu ne sais toujours pas où on est?

Seize secoua la tête.

– Non, je... sais pas, répondit-elle avec application.

Trash approuva.

– Alors on fait une pause, une heure pas plus. Puis on remonte, on récupère les armes et après on avise.

Wresh eut un sursaut à ses côtés, Trash lui tapota l'épaule.

– Oui, on ira récupérer Spoilt aussi, t'inquiète. Pour l'instant, c'est lui le plus à l'abri de nous tous, non?

Wresh sourit timidement et se rendit aux raisons de sa Chef tandis que Spent s'installait à côté d'elle. Les Tramps se détendirent un peu mais le silence dominait. Personne n'avait le cœur à se réjouir d'avoir échappé aux Bleus. Ils pensaient tous à leurs copains qui n'avaient pas eu autant de chance. Mess pleura un peu : la grande Shabby était sa meilleure amie. Mud tenta maladroitement de la réconforter en lui tapotant la main. Lui, c'était Worm, avec sa gentillesse et sa serviabilité, qui lui manquait.

Trash, elle, gardait les dents serrées. Elle essayait de réfléchir, mais la vision de Seize tout contre Junk la perturbait. Un instant, elle croisa le regard rose si étrange de la recrue. Alors, elle se détourna, sans mot dire. Seize fronça les sourcils, se mordit la lèvre et se décolla de Junk imperceptiblement.

– On y va ! ordonna Trash.

Les Tramps bondirent sur leurs pieds. Le retour à la surface fut étonnamment rapide, un quart d'heure tout au plus. Ils arrivèrent au pied d'une échelle qui donnait sous une antique plaque d'égout que Junk souleva avec précaution, jetant juste un œil alentour pour voir s'ils pouvaient sortir sans risques.

Il redescendit auprès de ses camarades.

– Y a un gros lion en métal sur un socle, grogna-t-il.

Seize et Trash sourirent ensemble :

– Ouf ! fit Trash. Je craignais qu'avec notre périple on soit sortis de la Bulle, en fait !

Ce n'était qu'à moitié une plaisanterie, ils le sentirent tous et soufflèrent de soulagement eux aussi.

– Statue Lion de Belfort, fit Seize. Pas loin Montsouris.

– Il fait encore un peu nuit, on se fera pas trop repérer, dit Junk. Combien de temps pour le parc ?

– En courant ? Quinze minutes à peine, répondit Trash.

Il y eut un mouvement de révolte paradoxale chez les autres Tramps. Quoi ? Ils avaient tant couru, tant souffert pour se retrouver à un quart d'heure de leur point de départ !? Mais finalement, c'était plutôt une bonne nouvelle. Mud s'apprêta à se retourner pour en faire part à Worm et se rappela que son ami ne s'en était pas sorti.

Le grand rouquin déboucha à l'air libre en tentant vainement de contenir un sanglot. Il emboîta le pas à ses camarades et laissa couler ses larmes tandis qu'ils filaient à toute allure vers Montsouris.

CHAPITRE

11

Le jour pointait et les Tramps détalaient dans les rues désertes, ultimes et furtives traces de nuit dans l'or du soleil levant qui s'insinuait sous le dôme. Pas un Bleu alentour, ils avaient sûrement mieux à faire ailleurs. Ce fut un jeu d'enfant de se glisser dans le parc en escaladant les hautes grilles de fer forgé vert.

Au bord de l'étang, la petite Mess fut chargée de récupérer les armes. En entrant dans la cabane de roseau, on l'entendit pousser une exclamation étouffée.

– Qu'est-ce qu'il y a? lança nerveusement Trash de la rive. On nous les a piquées?

Mess ne répondit pas directement à sa Chef, mais sa voix perçante, qui avait du mal à masquer un rire contenu, parvint jusqu'à la rive :

– Allons, viens, idiot! On va pas te bouffer!

Alors seulement elle sortit de la cabane, ployant sous le ballot d'armes, un garçon intimidé sur les talons, ses yeux immenses et verts clignotant dans la lueur de l'aube. Mess lui avait confié les autres sacs.

Junk fronça les sourcils. À l'évidence, ce n'était pas un gangboy. Le jeune garçon au teint doré aux UV artificiels, un bracelet-montre ID étincelant à son poignet, se dandinait nerveusement dans son jean «couture» un peu étroit. Ses joues rondes et fraîches, son nez aussi fin que ses traits dénonçaient un fils de Bulle. Et s'il avait fallu une preuve supplémentaire à Junk, rien que les godasses de cuir, assorties au polo, serrées contre la poitrine afin de ne pas les mouiller en passant dans l'eau, auraient suffi. Un gangboy n'aurait même pas *pensé* à épargner ses chaussures – s'il en avait eu.

Mess retraversa le petit chenal et posa le ballot à terre. Junk déballa les armes et enfila son blouson. Le grand blondinet, indécis, encore apeuré, regardait les Tramps massés autour de Trash. Il se décida enfin à quitter l'îlot et à les rejoindre. Tout le monde sourit discrètement en le voyant s'asseoir comme un marquis afin de se rechausser. Et lorsqu'il fouilla ses poches pour en sortir une paire de chaussettes qu'il enfila avant de remettre ses belles pompes, l'éclat de rire fut général.

Le nouveau venu leur jeta un regard ébahi. Il avait craint une autre réaction de la part d'un gang. Lorsque tout le monde eut repris son sérieux et récupéré ses affaires, Trash, dont une ombre de sourire ornait encore les lèvres, demanda :

– Et que faisais-tu exactement dans cette cabane ?

– Je me cachais, fit-il sur le ton de l'évidence. Je me suis dit que personne ne me trouverait et que je pourrais réfléchir.

La diction du jeune homme était impeccable, précise. Elle rappelait celle de Trash dans ses accents distingués et sa manière précieuse de dire les choses.

– Réfléchir à quoi ? fit Junk dont la patience n'était pas la vertu cardinale.

– À ce que j'allais faire ensuite... répliqua le blond d'un ton boudeur.

Seize agita ses mèches blanches avec agacement. Elle lâcha Junk et toucha rapidement le jeune citadin à la joue.

– Images lui. Enfui. Parents bizarres, pas... gentils. Plus le nourrir, ni le regarder. (Elle fronça le sourcil avant de conclure d'un ton bref :) Nada4 !

Trash se méprit :

– Il est malade ?

– Non, pas lui. Parents lui malades. Pas le mordre. Médicaments. Contrebande. Moi voir lui avec gangboys. Lui acheter pour parents aux gangs. (Elle jeta un œil au garçon.) C'est... ça ?

Il acquiesça en silence, totalement sidéré.

– Ça explique pas sa présence ici, bougonna Junk. Il en voulait peut-être à nos armes...

Là, Mess éclata de rire à nouveau :

– Oh ça, je peux jurer que non ! Il les avait même pas repérées. C'est tout juste s'il était pas assis dessus ! Et comment tu t'appelles ?

– Louis, Louis Se...

Il se tut brusquement, comme par un réflexe de prudence de dernière minute.

– Serrault, acheva Seize pour lui.

Le jeune Parisien ne savait plus où donner de la tête, il se focalisa sur la fille au regard étrange qui semblait lire ses pensées :

– Comment fais-tu pour savoir ?

Seize agita négligemment la main :

– Oh, ça... Je avoir été faite pour ça... Pas sentir pensées, mais émotions... images... et sons... parfois. Et ça, ton nom, tu avoir ressenti très fort. Pour pas dire !

Les Tramps poussèrent un léger soupir de soulagement. Ils commençaient à s'habituer aux dons souvent très utiles mais aussi très étranges de la jeune fille, et les dernières explications les apaisaient encore un peu plus. C'était rassurant de savoir qu'elle ne lisait pas *vraiment* les pensées ou alors qu'il fallait vraiment insister très fort pour qu'elle les perçoive. Junk rougit. Il avait laissé les siennes errer un peu trop souvent sur les jolies cuisses dénudées.

– Vous êtes un gang, n'est-ce pas ? demanda Louis avec angoisse.

Trash hocha la tête. Allait-il également leur demander si l'eau mouillait, ce trop joli garçon à l'esprit si peu rapide ? Mais ce dernier se trompa sur le sens de l'assentiment et son regard s'illumina :

– Alors, vous allez peut-être pouvoir m'en vendre ?

– De quoi ? fit prudemment Wresh, que personne n'avait plus entendue depuis que la Chef avait annoncé qu'on n'irait pas chercher Spoilt tout de suite.

– De l'AzTc ! Markus m'avait dit qu'il allait m'en fournir hier soir, mais Mère...

La voix policée se brisa. Le nom de Markus provoqua une onde de chuchotements fébriles autour de lui mais il n'en tint pas compte et reprit :

– Mère est devenue vraiment agressive. Il nous en faut très vite.

Trash se pencha sur Louis :

– Il vous faut de l'AzTc ? Markus t'en fournissait ?

– Oui. Et si je n'en ai pas... Tant que Mère est comme ça... je ne peux pas retourner à la maison... Père et Mère me l'ont bien dit tous les deux, ils ne pourront pas s'empêcher de me mordre...

Trash l'observait attentivement. Elle connaissait bien ce mélange d'indifférence et d'angoisse pour les proches que le 4 insufflait. On était si occupé à se retenir de les mordre que le reste passait en second. Les parents du gamin ne pensaient sans doute plus qu'à ça, et s'occuper de leur fils ne leur apparaissait plus comme une priorité. Ça sonnait juste...

Trash le sentait jusque dans ses os. Parfois, elle avait *peur* que les Tramps pénètrent dans son bureau avant qu'elle ait eu le temps de se faire son injection. Dans ces moments-là, elle n'était pas *sûre* de toujours pouvoir retenir cette impulsion viscérale. Et Junk qui entrait toujours sans s'annoncer...

Elle soupira. Au retour, il faudrait qu'elle lui demande de renoncer à la prendre dans ses bras. En tout cas, pas si tôt après la piqûre...

– Ils font quoi, tes parents, pour qu'on les ait pas jetés de la Bulle?

C'était Mud qui intervenait, pour la première fois sa voix sonnait ferme aux oreilles de ses compagnons, un peu querelleuse même. Louis fit un petit geste évasif, l'air de dire que c'était sans importance:

– Mon père est commissaire divisionnaire et ma mère enseigne l'ikebana au lycée. C'est Père qui a su comment...

Wresh ouvrit des yeux ronds:

– C'est quoi l'ikebana?

Trash balaya la question d'un revers agacé:

– L'art d'arranger les fleurs dans des vases, répondit-elle d'un ton dur tandis que les yeux de Wresh s'ouvraient encore plus largement.

Il existait des gens qui perdaient leur temps à apprendre comment faire des bouquets? Dans ce monde? Wresh réprima non sans peine un ricanement nerveux. C'est tout juste si elle se souvenait de la dernière pâquerette qu'elle avait vue, un an plus tôt entre deux moellons...

Pendant ce temps, Trash scrutait Louis. Il finit par détourner son regard des deux prunelles gris acier qui semblaient prêtes à lui perforer le crâne :

– Ton père est donc un Bleu et c'est comme ça qu'il a eu le contact avec Markus pour le médoc ? Tu traitais directement avec le plus gros gangboy de Paris pour qu'il te fournisse les seringues parce que ton père tenait Markus d'une façon ou d'une autre... C'est ça ?

Louis approuva et lâcha avec hésitation :

– Mon père sait qui est Markus, en fait...

Les Tramps sursautèrent et les yeux de Trash s'étrécirent :

– Parce qu'il y a quelque chose de plus à savoir sur Markus ? C'est le Chef de tous les gangboys et ça suffit bien, non ?

Le garçon fixa le bout de ses chaussures étincelantes avec gêne :

– Pas seulement. On ne devient pas ce qu'il est devenu aussi vite sans avoir les bons contacts. Il est de la Bulle et son identité réelle est secrète. (Trash ouvrit la bouche mais il leva la main en signe de refus.) Inutile de me demander, je n'en sais pas plus ! Mon père ne me l'a jamais dit.

La jeune femme hocha la tête. Ça aussi, ça sonnait juste.

– Tu avais un rendez-vous avec Markus hier soir, mais il ne s'y est pas rendu, j'ai toujours bon ? Tu habites loin ?

Louis, qui s'apprêtait à dire oui à la première question, leva un œil inquiet pour la seconde :

– Non, fit-il avec hésitation.

Trash jura entre ses dents. Junk intervint :

– Tu veux qu'on aille se planquer chez lui ? dit-il à la jeune femme.

Louis se mit à trembler tandis que les Tramps resserraient le cercle autour de lui, au cas où l'envie de s'enfuir prendrait le jeune homme.

Trash secoua la tête :

– Non. J'y ai pensé, j'aurais bien fait parler son père à propos de Markus, et en plus, avec son bracelet ID, on aurait pu se glisser dans l'immeuble sans alerter les systèmes de protection. Mais à mon avis son appartement est sous surveillance.

– Quoi ? couina Louis.

– Pourquoi ? grogna Junk en même temps.

– Entre le piège sur l'île et son absence à son rendez-vous, ça ne m'étonnerait pas que ce salopard de Markus ait dénoncé tout ce qu'il pouvait dénoncer... Les gang-boys, ses parents...

– Tu penses qu'il nous a trahis ? fit Junk d'un ton concentré en évitant de faire remarquer qu'il y avait songé dès le début.

– Markus a vendu tout le monde, c'est sûr... Mais, ou il nous a vendus parce qu'on l'y a obligé, ou il nous a vendus pour une autre raison...

La jeune Chef se détourna, indécise.

Mess s'écria :

– Ça change quoi s'il nous a trahis contraint et forcé ? Il nous a trahis quand même !! Non ?

Dans son dos, les autres approuvèrent *mezzo voce*. Sauf Wresh qui fronça les sourcils :

– C'est quoi, un bracelet ID?

La jeune fille n'avait pas mis les pieds dans une Bulle depuis l'âge de deux ans. Pendant que les Chefs réfléchissaient sans lui répondre et que le regard du jeune Louis se perdait dans le vague, Mud saisit le poignet de ce dernier et montra la gourmette étincelante à sa camarade :

– Tu vois? C'est ça, un bracelet ID! Ça te permet de passer les contrôles dans Paris et d'entrer chez toi ou chez tes amis. Le système de surveillance de la cité te laisse passer sans donner l'alarme ou bloquer les portes et les ascenseurs.

Louis retira nerveusement son bras de la pogne de Mud qui n'en tint pas compte. Wresh fit signe qu'elle avait compris :

– Je vois, une sorte de passeport électronique, c'est ça? T'en avais un, toi?

Mud fit non de la tête :

– Non, pas un comme ça. Lui, c'est un fils de riches, il en a un définitif. Et si ça se trouve, il peut même se payer des trucs avec. (Il jeta un coup d'œil interrogateur à Louis, qui opina docilement.) Moi, j'avais qu'une bande de papier hebdomadaire qui s'agrafait au poignet... C'étaient les patrons de mon père qui nous...

Mud s'arrêta à nouveau, laissant sa voix mourir doucement. Il y eut un bref silence que seuls rompirent les oiseaux en train de s'éveiller dans le parc. Mess les contemplait avec fascination. Surtout les deux grands cygnes en train de s'asperger mutuellement dans ce qui ressemblait beaucoup à un jeu.

– Qu'est-ce qu'ils font? murmura-t-elle.

Ce n'était pas nécessaire de parler si doucement, mais le spectacle la clouait sur place. L'eau qui roulait en joyaux étincelants sur les plumes si blanches était ce qu'elle avait vu de plus beau au monde. Mud se pencha dans la direction où elle regardait:

– Ils se lavent, c'est tout. Mais c'est un couple, ils font ça ensemble. Les cygnes font tout ensemble. Ils s'accouplent pour la vie...

Mess se tourna pour contempler songeusement le grand garçon roux. Elle voulut dire quelque chose, mais se ravisa et se replongea dans la contemplation des magnifiques oiseaux. C'étaient sans doute les premiers qu'elle voyait de sa vie et sûrement les derniers.

Wresh, à sa façon bourrue, tentait de réconforter Louis. Il venait de comprendre que, selon toute probabilité, il n'avait plus de chez-lui. En tout cas, elle n'était pas trop optimiste sur l'avenir d'un bientôt orphelin dont les deux parents, atteints du Nada4, seraient sûrement expulsés de la Bulle sous peu. Le joli blond tremblant remuait chez elle ce que Trash appelait son instinct maternel, et le fait de consoler quelqu'un apaisait un peu son angoisse personnelle en ce qui concernait Spoilt.

Trash et Junk contemplaient l'étang eux aussi, mais ils ne le voyaient pas. Ils réfléchissaient ensemble. Sans un mot. Seize, en retrait, suivait le cheminement de leurs pensées et s'étonnait de les découvrir quasiment jumeaux. Jamais, chez les gens du labo, elle n'avait rencontré de personnes ainsi accordées.

La jeune fille ne percevait pas exactement les mots dans leurs têtes, mais des couleurs et des images. Les images étaient les mêmes, seuls les angles et les couleurs différaient. Pour Trash, tout se parait de noir ou de blanc. Chez Junk, le rouge était dominant. Seize frissonna. Elle avait rarement rencontré la violence à l'état brut et le colosse en était pétri. Comment pouvait-il être si doux en même temps? Elle jeta un coup d'œil à Trash et sut qu'elle tenait l'explication. Elle sut également que rien, sauf peut-être la mort, ne séparerait ces deux-là ; ils étaient comme les cygnes du lac.

La jeune fille sentit un froid mordant et inexplicable saisir sa poitrine.

Soudain, ce froid fut remplacé par une sensation de terreur atroce, aussitôt balayée par une sombre résolution. Cela venait de Trash, dont les idées d'un seul coup avaient totalement divergé de celles de Junk. Seize ouvrit la bouche sous le choc, comme un poisson hors de l'eau. Elle fut obligée de s'asseoir tandis que les deux Chefs, inconscients de son état, prenaient la parole en même temps :

– Je... commencèrent-ils.

– À toi, fit Junk.

– OK. Petit a, pas question de laisser les Tramps capturés aux Bleus!

Junk opina.

– Petit b, il nous faut un QG dans Paris pour nous planquer le temps de les retrouver. De toute façon, j'ai besoin d'un accès Intranet pour ça: les Bleus ont forcément tout mis sur dossiers.

– Ah! fit Junk. J'y avais pas pensé... Le QG, oui, en revanche, mais à part l'appart du gosse, je vois pas où on pourrait aller...

Le visage de Trash devint de glace tandis qu'elle fouillait ses poches. Elle en sortit une gourmette semblable à celle de Louis et l'ajusta à son poignet. Dès que le fermoir fut enclenché, une petite diode verte clignota trois fois avant de s'éteindre tout à fait.

– Moi, je sais où aller, fit-elle sèchement.

Seize faillit s'évanouir sous la vague d'angoisse qui submergea brutalement Trash. Elle toussa, au bord de l'étouffement. Wresh se tourna vers la jeune empathe et la vit vaciller sous le choc:

– Ça va? demanda-t-elle plutôt gentiment.

Seize fit signe que oui tout en tentant de reprendre son souffle. Wresh, rassurée, se tourna alors du côté de Trash et demanda d'une voix proche de la supplication:

– On va chercher Spoilt, dis?

Trash la regarda avec une compassion dont seule Seize sut à quel point elle était forcée:

– Nous ne pouvons pas, là où nous allons... (Elle fit une pause et Seize vacilla à nouveau.) Là où nous allons, reprit Trash avec effort, il y a beaucoup de plantes, il risque de nous faire le même coup que dans les souterrains.

– Je peux au moins prendre cinq minutes pour l'avertir?

Trash acquiesça sans relever le «au moins», que Junk trouvait à la limite de l'insolence. Il ouvrit la bouche pour une réprimande un peu sèche, mais Wresh, craignant que sa Chef ne change d'avis, fila avant qu'il ait pu articuler un mot.

Junk n'eut pas le loisir de protester contre cette perte de temps, car un cri jaillit d'un buisson. Mud qui s'était éloigné pour satisfaire à quelque besoin naturel revenait en courant, bégayant de terreur.

– Qu'est-ce qu'il y a? fit froidement Trash.

– Là-bas... Y a un mec. Mort.

– T'es sûr?

Le garçon hocha la tête avec frénésie.

La bande s'ébranla dans la direction indiquée et, au détour d'un troène toujours vert, tomba sur un emplacement totalement calciné et empestant l'essence. Au centre du foyer éteint, un cadavre noirci était recroquevillé.

– Putain, mais qui a fait ça? fit Mess, les yeux exorbités.

La jeune fille tentait désespérément de maîtriser son envie de vomir. L'odeur de chair cuite imprégnait tout. Avec hésitation, Louis s'approcha à son tour. Écœuré par le spectacle atroce, il détourna le regard.

– C'est un 4, il a dû se faire choper par les BloodKlans, murmura-t-il, frémissant.

– En pleine ville ? fit Trash, ahurie. Avant, ils se contentaient de les réduire en bouillie et de les jeter discrètement hors des Bulles !

– Ils se font de plus en plus hardis, répondit Louis. Mon père dit qu'ils ont des protecteurs dans les sphères dirigeantes de la cité. Des politiciens qui profiteraient bien de la peur engendrée pour restreindre encore les libertés individuelles, avec la bénédiction de la population terrorisée. En tout cas, la plupart des Bleus laissent faire, soit parce qu'ils pensent que les BloodKlans leur mâchent le travail, soit parce qu'ils ont peur d'arrêter un gosse de grosse légume qui leur créerait des ennuis, ensuite.

– Mais les brûler comme ça ? C'est horrible !

– Ça fait un moment que les BloodKlans prétendent qu'un bon 4 est un 4 mort et qu'il faut juguler l'épidémie. Le feu est un moyen de « purification » commode. Et puis ça marque les esprits, hein ? Alors, dès qu'ils en attrapent un... ou même quelqu'un qui n'arrive pas à prouver qu'il n'est pas malade... quelqu'un qui est tout seul...

Il laissa tomber sa voix. S'il ne s'était pas caché dans l'île, ça aurait pu être lui, le petit tas de cendres racornies. Louis éclata en sanglots. Mess lui prit le bras.

– Allons, c'est pas si grave. Ils auraient pu t'avoir, toi aussi...

Louis renifla et soupira :

– Et puis je ne sais vraiment pas où aller maintenant...

Trash, qui s'était perdue dans la contemplation du cadavre, se tourna vers lui et siffla, inexplicablement furieuse :

– Parce que tu crois qu'on sait, nous, où on va d'habitude ? Et parce que tu as le choix, jeune crétin ? Tu viens avec nous, évidemment !

Elle se dressait devant lui, tremblante et minuscule, ses yeux d'acier rougeoyants d'une lueur inquiétante, sa tresse rouge ondulant furieusement dans son dos. Même debout, elle dépassait à peine d'une tête le jeune citadin assis. Il se décomposa de frayeur. Junk frémit. Il n'avait jamais vu Trash dans cet état. Instinctivement, il se coula entre Louis et sa Chef. Le gosse n'avait pas mérité de faire connaissance avec les talents de celle-ci pour le razor. Pas encore, en tout cas.

– C'est vrai ? Je peux venir ? balbutia-t-il.

Il y eut un petit silence. Trash dit enfin d'un ton plus calme :

– On essaiera de savoir ce qui est arrivé à tes parents...

Bizarrement, l'idée de se joindre à ce gang surprenant, qui n'avait rien à voir avec Markus et ses séides, le rassurait un peu. Ils retournèrent au bord du lac, laissant derrière eux l'épouvantable spectacle.

Junk avisa Wresh qui revenait essoufflée. L'air assez contrarié, il s'écria :

– Bon, Trash, on est tous là ! Si tu nous emmenais là où tu as prévu ?

La jeune fille opina et se mit en marche d'un pas un peu raide, comme si chaque muscle de ses cuisses se refusait à avancer dans la direction qu'elle leur imposait. Seize se releva péniblement. Elle accrocha au passage la manche de Trash, qui se retourna, main levée comme pour frapper. Junk se raidit, prêt à intervenir une fois de plus, mais le poing de son amie retomba aussitôt et les deux filles restèrent ainsi quelques secondes face à face.

– Toi pas obligée... faire ça... dit doucement Seize.

– Oh si... fit Trash sur le même ton.

– Faire quoi? s'exclama distraitement Mess, qui jetait un œil chargé de regret aux cygnes.

La gamine n'attendait pas vraiment de réponse. Pourtant, tout en faisant tourner avec rage la chaîne ID qu'elle venait d'accrocher à son poignet, Trash la renseigna :

– Vous emmener chez quelqu'un que je connais...

Cette fois, Junk comprit de qui parlait son amie et devint pâle comme la mort.

CHAPITRE

12

Trash les conduisit sans un mot, Junk, ombre muette sur ses talons, dans le quartier de la Butte-aux-Cailles. Cinq minutes plus tard, les Tramps et leur nouveau compagnon levaient la tête vers un porche majestueux encadré de caryatides hautaines. Sur la façade, de monstrueux fruits de marbre dégringolaient des encorbellements massifs, à peine concurrencés par de véritables géraniums qui pendaient des balcons avec un enthousiasme gavé d'engrais surpuissants.

Tout en haut, par-dessus le toit d'ardoises fines en chapeau de gendarme, on voyait dépasser des cimes d'arbres. Quelqu'un avait égayé son appartement sous les toits avec des jardins suspendus et un patio à ciel presque ouvert. Une Bulle de verre de style Art déco protégeait le tout d'une cloche d'or translucide parsemée de fleurs exotiques monstrueuses. Le luxe inouï de ce bâtiment fit trembler Mess qui se glissa entre Mud et Louis. Avec sa longue tresse sombre, aussi longue que celle de sa Chef, elle formait un saisissant contraste entre les deux grands garçons, le roux frisé au nez en trompette et le blond aux cheveux lisses.

Eux ne paraissaient pas du tout impressionnés par cet étalage de luxe. Mud, parce que ses parents avaient été domestiques dans ce genre d'endroit, et Louis, tout simplement parce qu'il en venait. Les deux garçons ne comprirent pas la soudaine timidité de leur exubérante compagne, toutefois ils devinèrent qu'elle avait besoin de réconfort et lui firent instinctivement place.

Trash présenta sa gourmette au voyant rouge qui luisait devant la serrure. La porte tourna sur ses charnières en disant :

– *Nous sommes ravis de vous revoir, mademoiselle. Combien d'invités ?*

Sans répondre à la voix joyeuse, Trash frappa le chiffre sept sur le clavier numérique en dessous de l'œil électronique. Sept bandes prédécoupées de papier imprimé d'un code-barres alphanumérique et frappées du logo de la Fédération jaillirent d'une fente dissimulée. La jeune Chef les distribua aux « invités ».

– Ne les perdez pas. Ça déclencherait les alarmes, dit-elle d'une voix plate et grise.

Tous hochèrent la tête, sauf Louis qui, dédaignant la

bande de papier, allait présenter son poignet à l'œil de surveillance. Trash l'arrêta juste à temps :

– Stop, imbécile ! Tu tiens vraiment à ce que l'immeuble avertisse les Bleus que tu es ici ?

– Mais... et vous ?

– Le propriétaire de cette gourmette n'est pas recherché, fit sèchement Trash en agitant son propre poignet. Mais toi, on n'en est pas sûrs. Désolée, petit, mais tu vas te contenter d'un bracelet de seconde classe. Autant commencer tout de suite à apprendre la vraie vie.

Louis baissa la tête devant la semonce. Mud et Mess lui tapotèrent l'épaule en même temps et se sourirent par-dessus le crâne baissé de leur compagnon.

À leur approche, l'ascenseur ouvrit ses battants rococo comme les pétales d'une monstrueuse orchidée de bronze doré. À nouveau, Trash présenta sa gourmette au capteur et la nacelle en forme de corolle les emporta tous jusqu'au cinquième et dernier étage. Les portes s'ouvrirent en plein cœur de la mini-forêt captive qu'ils avaient entraperçue du trottoir. Ils étaient parvenus dans un jardin exotique épanoui au bord d'une piscine ; à gauche, un grand mur blanc était percé de plusieurs portes de chêne clouté. Toutes étaient closes. Trash se raidit et sortit de la cabine, ses camarades sur les talons.

L'endroit était désert. Trash jeta un regard bref à un sofa abandonné au bord de la piscine.

Junk ne la quittait plus d'une semelle. Seize, pendue au large biceps, haletait sous l'assaut des torrents d'angoisse conjoints émanant de la Chef et de son Second. De l'extérieur, le trio semblait seulement concentré vers son objectif : pénétrer dans un logement parisien où ils n'étaient pas attendus.

Trash hésita à peine, mais Junk le perçut et murmura :

– Tu veux que je me charge du ménage ?

Elle acquiesça.

– On va t'attendre ici.

Junk se détourna et confia Seize à Mud qui l'accueillit fort gentiment. Puis il fit face à Trash et ses lèvres épaisses formèrent un « où ? » inaudible. Trash lui indiqua une porte d'un léger mouvement du menton.

Mud frissonna en regardant Junk s'éloigner : il était passé en mode combat. C'était visible à sa démarche aux allures amples et lentes d'un tigre en chasse, à ses gestes hypercontrôlés. Mud se demanda ce qui les attendait derrière cette porte fermée et si quelque chose de dangereux s'y tapissait. Tout semblait l'indiquer dans l'attitude tendue des Chefs.

Personne ne comprit le gémissement soudain de Seize, titubant sous la joie sauvage et mortelle qui bouillonnait en Junk.

Enfin !

Cinq ans auparavant, lorsqu'il avait recueilli sans trop savoir pourquoi une fillette blessée et l'avait soignée, la gosse avait parlé dans son délire. La fièvre et la douleur dues aux plaies, à la contamination l'avaient précipitée dans un coma étrange dont elle n'émergeait que pour soliloquer des heures dans le vide, les yeux morts. Elle avait tout balancé dans le désordre. C'est ainsi que Junk avait compris pourquoi une jeune Euraz comme Trash avait pu préférer l'enfer de l'extérieur : son père avait abusé d'elle depuis ses huit ans, depuis la mort de sa mère, en fait. Même après avoir épousé une autre femme, qui s'était contentée de s'installer au bord de la piscine à siroter des cocktails pendant que son nouvel époux « jouait avec sa fille ».

Junk tenta de contenir l'explosion écarlate dans sa poitrine. Il prit une large inspiration avant de poser la main sur le bouton de cuivre. La porte s'ouvrit sur une chambre faiblement éclairée. Le jeune homme fit deux pas et disparut totalement à la vue de ses compagnons.

Il y eut un long silence. Rien ne vint le briser hormis le ronronnement de la climatisation qui maintenait une douce température sous la verrière. Trash secoua sa tresse écarlate avec impatience et lança d'une voix qui s'efforçait de ne pas trembler :

– Junkie Junk? Tu as un problème?

Pas de réponse. Trash fit un pas hésitant en direction de la porte. L'anxiété se peignait sur ses traits creusés. Mais Junk sortait déjà :

– Trash? (Il prit une inspiration avant de poursuivre :) Je crois que tu devrais venir voir...

La voix du colosse s'étranglait sur une déception étrange, une indécision inhabituelle. La tresse rouge de Trash s'agita :

– Restez là, vous autres !

Les Tramps se figèrent. Elle rejoignit son ami et il s'écarta pour la laisser pénétrer dans la pièce.

Elle découvrit un homme à demi assis dans un lit médicalisé. Il ne bougeait pas, les bras soigneusement posés sur les draps blancs tirés au carré. Le corps rabougri, sanglé dans un impeccable pyjama, dessinait de petites bosses inertes sous les couvertures. On aurait dit un mort préparé avant l'enterrement, si le regard fixe, intense, cerné de rouge et de jaune n'avait pas scruté désespérément le visage glacé de la nouvelle venue.

Des électrodes reliaient les paupières fripées du malade à un ordinateur. L'écran occupait une tablette en travers du lit et faisait jouer des reflets bleutés sur la peau grisâtre.

Le vieux visage figé par la maladie parvenait à arborer une expression torturée, les paupières clignèrent à une allure folle tandis que des diodes de couleur se mettaient à danser sur l'unité centrale de l'ordinateur, placée à côté de la couche.

– *C'est vraiment toi ?*

Trash et Junk sursautèrent. La voix venait de surgir de partout et nulle part à la fois. Des haut-parleurs invisibles la relayaient dans toute la maison. À l'extérieur de la pièce, on entendit les exclamations de surprise des Tramps. Mais la bouche de l'homme restait close. Il « parlait » par l'intermédiaire des électrodes fixées sur ses paupières.

Trash ne répondit pas tout de suite. On aurait dit qu'on l'avait pétrifiée.

Le frisson la prit d'abord aux genoux pour gagner tout le corps, si bien qu'elle croisa les bras sur sa poitrine, s'accrochant à ses propres épaules comme pour y contenir la houle énorme qui malmenait sa chair trop faible.

– Oui, laissa-t-elle tomber en maîtrisant à grand-peine sa voix.

L'homme alité accusa le coup, mais ses yeux se contentèrent de ciller :

– *Tu es venue me tuer, Jolie-Jolie ?*

La voix électronique était montée d'un cran, et les tonalités tiraient sur le guttural et la supplication. Sans doute que le programme vocal qui gérait la parole du paralysé s'adaptait à son état physiologique et psychologique : les électrodes dont il était bardé enregistraient la sueur mouillant soudain la peau terne et l'humidité subite des yeux.

Trash secoua la tête. Elle se ressaisit d'un coup, avec une froide indifférence qui parut frapper l'homme plus sûrement qu'une gifle en pleine figure :

– Non. Seulement pirater ton accès au Net et utiliser ton appart comme base de déploiement. Il y a une bonne quelque part ? Où est ta femme ?

L'homme prit conscience de la présence d'autres personnes dans l'appartement. D'un clignement de paupières, il fit en sorte que la voix électronique soit confinée dans la chambre :

– Pas de bonne : un infirmier passe tous les jours. Ma femme ? Partie dès que je me suis retrouvé dans cet état... Ça fait deux ans.

Il y avait toujours un temps de retard entre le moment où il dictait ses phrases avec ses paupières et celui où elles jaillissaient dans la pièce, les quelques secondes que le programme de gestion mettait à ajuster phrases et intonations. C'était comme tenir une conversation avec quelqu'un qui aurait été très loin d'ici.

Trash eut un sourire mauvais.

– Personne, donc ? Ça me va ! Junkie Junk ?

– Oui ?

– Vérifie quand même, je n'ai pas confiance en lui. Il peut « oublier » quelqu'un qui avertirait les Bleus de notre présence.

Elle se dressa sur ses pieds menus pour déposer un baiser léger sur les grosses lèvres de Junk. Il rougit violemment. C'était la première fois que Trash l'embrassait ainsi. Il crut mourir de joie, mais il repéra immédiatement l'expression calculatrice de son amie et l'air soudain traqué de l'homme dans le lit. Une avalanche glacée doucha son bonheur trop bref. C'était à l'intention du malade seul que Trash s'était livrée à cette caricature de baiser. Pour faire mal à son père. Ça fonctionnait fort bien, c'était évident. Mais cela torturait également Junk. La jeune femme ne parut pas s'en apercevoir.

Junk retint un soupir qui était presque un sanglot. Seize surgit alors dans la pièce, guidée par Louis. La lame de tendresse et de douceur qui monta en Junk le rasséréna aussitôt. Il récupéra la petite main de Seize perchée sur l'épaule du blond et la posa sur la sienne.

– Toi avoir besoin moi, dit Seize à Junk, moi sentir.

– Tu sens d'autres présences que les nôtres, petite?

– Dans chambre à côté, homme endormi, sommeil *très* profond, médicaments peut-être. Dessous, un, dit-elle. Étage. Vieux comme lui. Mais pas malade. Regarde télé.

Trash sursauta et retourna vers son père, lèvres retroussées de mépris :

– Je te croyais seul? siffla-t-elle.

– Je te jure que je le pensais sorti. C'est juste un ami. Je lui... Enfin, je lui prête une chambre, en ce moment. Il ne... présente aucun danger pour vous...

Trash se détendit :

– Allez me chercher ce type ! dit-elle en coulant un regard faussement enjôleur à son Second.

Junk ne lui rendit pas son regard. Il eut un mouvement de révolte, Trash lui faisait atrocement mal. Elle n'en avait pas conscience, certes, mais elle en rajoutait une couche. Il sourcilla, indécis, puis, dans un grand mouvement d'épaules fataliste, il fit signe à Seize :

– OK, petite, on y va?

Seize hocha la tête, ravie d'échapper à cette chambre et aux images tourbillonnantes et atroces qui lui venaient de Trash et de son père.

– Oui ! Je vouloir voir autres pièces : maison belle !

Louis demeura avec Trash et l'homme couché. En pénétrant dans la chambre, il avait ignoré un ordre formel. Trash nota dans un coin de son esprit qu'il faudrait lui mettre les pendules à l'heure, à ce fils de Bulle. Mais pas là, pas devant *cet homme*.

– Qu'est-ce que vous avez? demanda Louis.

L'homme ne détachait pas son regard de celui de Trash. Pourtant, il finit par répondre d'un seul petit coup rapide des paupières.

– *Locked-in syndrome.*

La voix qui tomba des haut-parleurs n'avait cette fois aucune expression, comme si l'ordinateur avait répondu à la place de son patient. Un peu comme dans les messages sur CellComputer : certains mots-clés et expressions souvent employés restaient en mémoire et étaient envoyés directement par le programme, plus rapidement que d'autres moins courants.

– Hein? demanda le jeune homme.

La froide voix électronique fusa de toutes parts :

– *Le syndrome d'enfermement (en anglais :* locked-in syndrome*) est un état neurologique rare : le patient voit tout, entend tout, ressent tout mais ne peut plus ni bouger ni parler en raison d'une paralysie complète, les paupières exceptées. Les facultés intellectuelles et affectives demeurent intactes. La pathologie est en général causée par un accident vasculaire cérébral détruisant le tronc cérébral, partie du système nerveux central servant* *de passage aux nerfs vers le cerveau. Les patients n'ont aucun contrôle sur leur système uro-génital et nécessitent un appareillage...*

Le père de Trash cilla à nouveau, stoppant la voix qui semblait partie pour leur faire un cours complet sur sa maladie dans ses aspects les plus répugnants. Pourtant, cela suffit à Louis et à Trash pour comprendre le rôle des sondes et des tuyaux sous le matelas. Trash eut un sourire mauvais :

– J'ai eu peur de toi toute mon enfance, François Tellier. Ensuite, j'ai tremblé de te croiser chaque jour où je me glissais dans Paris, ces cinq dernières années. En même temps, je rêvais de t'égorger. Et voilà que tu es une épave, même pas capable de contrôler les fonctions vitales qu'un gamin de deux ans maîtrise déjà... C'est drôle, non ?

Elle eut un semblant de rire, mais il s'étrangla dans sa gorge. Coupé net. Son visage redevint de glace tandis qu'elle se détournait du gisant pour quitter la pièce. Au passage, les yeux couleur de métal de la jeune fille croisèrent ceux de Louis. Le garçon s'étonna de n'y rien lire, comme si elle avait épuisé d'un coup, en quelques phrases, toute la rage accumulée des années durant. Son regard ne reflétait que le vide. Le jeune garçon frissonna. Ce vide, il le connaissait, il l'avait déjà vu s'emparer des visages froids de ses parents. Mais il se secoua, persuadé d'avoir rêvé, et suivit la jeune femme.

L'homme soupira faiblement dans leur dos.

– Je ne sais pas si c'est drôle, mais si ça te fait du bien... Je regrette. Je regrette tellement... fit la «vraie voix» de François Tellier dans leur dos.

Trash s'arrêta, mais ne se retourna pas. Elle se contenta de marmonner à Louis :

– Reste dans la chambre. S'il a besoin de quelque chose, tu le lui apportes...

François Tellier souffla encore :

– Pourquoi veux-tu avoir accès à l'Intranet ?

Toujours sans se retourner, comme si elle parlait aux plantes de la serre, Trash mit son père au courant des événements en quelques mots. L'homme ferma les yeux, il semblait prendre une sorte d'élan ou réfléchir, mais quand la voix jaillit à nouveau des plafonds, elle était ferme, presque joyeuse :

– Tu as toujours mal joué aux échecs, Jolie-Jolie ! (Les épaules de la jeune femme se crispèrent à nouveau.) *Tu ne vois jamais plus loin qu'un coup ou deux en avance. Tu veux récupérer tes gangboys, mais ça ne suffira pas, crois-moi. Surtout s'ils ont décidé de faire un tel coup de filet. Ça veut dire qu'ils ne reculeront devant rien pour vous avoir. Ils iront vous dénicher jusque dans vos trous pouilleux. Je les connais bien, tu sais, je les ai dirigés dans le temps...*

Trash se contractait de plus en plus, mais refusait de faire face à son père :

– Tu suggères autre chose ?

Si cela n'avait pas été impossible, Louis aurait juré voir un sourire tendre jouer sur les lèvres mortes de François Tellier.

– *Mon «invité»... Parle-lui.*

– Qui est-ce?

– *Un journaliste.*

Trash se retourna brusquement et fixa son père. Une soudaine explosion de fureur se peignait sur son visage. À tel point que Louis recula en tremblant vers le lit.

Cette fille avait le 4, comme ses parents! Il en doutait jusque-là, mais cette façon de passer du vide total à l'émotion brute et incontrôlée, il ne la connaissait que trop bien: c'était la phase terminale du 4, les derniers barouds des capacités affectives en train de s'épuiser. Bientôt, la jeune femme serait incapable de se mettre en colère ou de pleurer, ou de seulement comprendre la souffrance d'autrui. En revanche, si elle n'avait pas ses injections, elle mordrait et contaminerait son entourage.

– Un journaliste? rugit Trash. Tu te fiches de moi? Qu'est-ce que j'en ai à foutre d'un journaliste!?

François la fixa avec désespoir. Il était fatigué. Ses paupières étaient agitées de tics nerveux qui ne faisaient naître aucune parole cohérente des programmes vocaux. Uniquement des crachotements intermittents.

– *Parle-lui*, ne put-il que répéter.

L'homme était vraiment épuisé. Trash le comprit. Elle hocha la tête et dit:

– On va voir.

Elle tourna les talons.

– *Alice...*

– Mon nom est Trash, *monsieur,* dit la jeune femme très posément, d'un ton d'avertissement. Alice Tellier voulait votre peau à une époque, même si c'était la dernière chose qu'elle aurait faite au monde.

– *Qu'est-elle devenue?* gémit l'invalide.

– Elle est morte et je suis née. Il y avait plus important à faire que venger Alice Tellier. J'ai fondé les Tramps pour protéger les enfants des salopards, ceux qui sont comme vous... et les autres. Ne rappelez pas Alice à la vie, *monsieur,* c'est un conseil.

Elle sortit enfin.

L'homme ferma les yeux. Louis se dandina avec gêne. Il avisa une chaise près du lit et se laissa tomber dessus avec un soupir qui attira l'attention de son voisin.

François Tellier rouvrit les paupières et regarda le jeune garçon assis à côté de lui.

– *Tu la... connais depuis... longtemps?*

Louis comprit que le malade parlait de Trash et fit non de la tête.

– *Tu es un Euraz... Comment t'appelles-tu?*

– Serrault, monsieur, Louis Serrault.

– *Le fils de... Joris et Sylviane Serrault?*

– Oui, comment le savez-vous?

– *J'ai travaillé avec ton père. J'ai été Juge Fédéral... Et un salopard... avant de n'être plus rien du tout...*

La voix résonna à nouveau dans tout l'appartement, Tellier avait dû rétablir les paramètres initiaux depuis la sortie de sa fille.

– Tout le monde vous entend à nouveau, vous savez, rappela Louis avec gentillesse.

L'homme cilla horriblement.

– Je sais... J'entends aussi tout ce qui se dit dans l'appartement, gamin.

Louis se pencha et vit l'oreillette collée sur le lobe gauche de l'oreille flasque.

CHAPITRE

13

Un flot de lumière illumina la chambre sans parvenir à éveiller l'homme endormi. Il devait être exténué pour n'avoir pas entendu non plus le début des échanges entre Trash et son père qui avaient dû résonner dans tout l'appartement avant que celui-ci ne coupe le son général. Les yeux de Junk firent rapidement le tour de la pièce : une chambre d'enfant. Des jouets jaillissaient d'un coffre mal fermé et des photos d'animaux et de vaisseaux spatiaux ornaient les murs. Junk secoua le dormeur sans trop de douceur. Ce dernier se dressa dans son lit en hurlant :

– J'ai rien dit !

Quelqu'un gloussa chez les Tramps. L'homme, livide tout d'abord, devint rouge comme une tomate. Ce type était cocasse, ficelé dans son pyjama trop petit, visiblement emprunté à Tellier. Il roulait des yeux affolés. Son regard fit le tour de la bande hétéroclite qui entrait lentement dans la chambre. Il s'arrêta d'abord sur la fille en courte tunique blanche, aux yeux roses, pendue au bras du colosse à la mèche argentée qui venait de le secouer. Un grand roux malingre en battle-dress, une fine Asiatique presque collée contre lui, une brune jolie mais renfrognée et un gros garçon paisible aux dreadlocks vertes se tenaient en retrait. Dans l'encadrement de la porte, une jeune femme à la tresse couleur de sang, vêtue d'une combi plus grise qu'argentée, semblait décidée à ne pas aller plus loin.

– *Pas de panique, mon vieux. Tu as vraiment le sommeil lourd, hein?*

La voix de Tellier tombant du plafond se voulait ferme et rassurante, mais trahissait son état de fatigue.

– J'ai pris un truc pour dormir... C'est quoi ça, François? couina le gros homme en direction du plafond. Tu avais promis de me cacher!

– *Ceux-là pourront le faire mieux que moi... si tu les aides...*

La menace dans les derniers mots était perceptible, le programme informatique n'avait eu aucun mal à la restituer. Il y eut un silence. Le gros homme redressa les épaules et fixa les Tramps. Il se racla la gorge:

– Je suis Didier Casteret. Journaliste pigiste au *Monde d'Euraz*. Enfin, se reprit-il, *ancien* journaliste...

Les Tramps hochèrent la tête en chœur.

– On sait. Levez-vous et rejoignez-moi dans le patio ! fit Trash durement en tournant les talons.

Casteret sursauta devant le ton autoritaire. Ses sourcils se froncèrent.

– On ne se connaît pas... ? hésita-t-il en scrutant le dos de la jeune femme.

Trash tiqua, mais ne répondit pas. Par-dessus son épaule, elle lança :

– Sickteen ? Il y a sûrement des fringues dans ces placards, sers-toi. J'en ai plus qu'assez de te voir te balader presque à poil !

Mess bondit sur l'occasion.

– Nous aussi, on peut, Chef ? implora-t-elle.

La petite Asiatique montra son jean troué et son tee-shirt en loques. Elle jeta un regard suppliant à Trash qui acquiesça froidement.

– Wresh aussi, dit-elle. Les garçons, dehors ! Vous trouverez peut-être des trucs pour vous dans l'autre chambre...

– *Mes anciennes affaires sont dans le dressing de gauche...* émit la voix de Tellier.

Junk, Spent et Mud quittèrent la pièce, et Casteret leur emboîta le pas. Ils durent s'effacer devant une Mess fébrile qui les bouscula au passage. La petite Asiatique prit Seize par le bras pour foncer vers l'armoire de pin clair ornée de cœurs découpés dans la masse. Un torrent de robes jaillit, de petites choses délicates où froufroutaient des dentelles blanches et des tissus fleuris. Cela forma un tas impressionnant devant les trois filles. Seize passa la main dans les tissus légers et soyeux. Elle rit :

– Pas croire Chef vouloir nous mettre ça.

Wresh piocha au hasard une tunique de soie vert pomme parsemée de sequins dorés en riant à son tour :

– C'est vrai qu'on aurait l'air cruches, là-dedans !

Mess lissa le tissu chatoyant avec un soupir.

– Oui, mais c'est dommage ! Heureusement qu'elle est trop petite, celle-ci, tiens ! J'ai moins de regrets.

Wresh haussa les épaules, les chiffons ne l'intéressaient pas :

– T'as vraiment le chic pour vouloir des trucs idiots ! C'est comme ton foutu clébard...

– Je suis sûre qu'il se rendra utile quand il sera adulte ! protesta Mess, indignée par cette attaque inattendue.

Wresh secoua la tête avec agacement. Elle s'enfonça dans l'armoire à la recherche de « vrais trucs », informa-t-elle ses compagnes. Elle finit par dénicher trois jeans, mais tous étaient trop étroits pour elle. Elle les refila à Seize et Mess qui s'en emparèrent joyeusement. Des culottes et des tee-shirts, de luxe mais discrets, suivirent, tandis que la grande brune écartait résolument des pulls aux couleurs voyantes.

– Ah voilà ! dit-elle d'un ton triomphal en extrayant des chandails de grosse laine gris chiné ou noire.

Mess fit la moue tristement :

– Tu crois vraiment ?

La jeune fille louchait sur un pull d'un rouge pétant brodé de fleurs violettes et orange. Wresh grinça :

– Tu tiens tant que ça à faire une cible parfaite ?

Mess ne répondit pas. La grande brune se changea en quelques secondes et quitta la pièce, laissant seules la jeune Asiatique et Seize. Cette dernière s'était interrompue dans son habillage. Elle tendit la main en tâtonnant dans le vide. Mess comprit immédiatement et saisit les longs doigts fins.

– Amie Wresh, un peu dure, hein ? lui dit Seize d'un ton apaisant.

– Amie Wresh très chiante et se prendre super au sérieux, grommela Mess, encore un peu blessée. Tu veux voir la chambre, c'est ça ?

Seize hocha le menton.

– Jolie chambre, laissa-t-elle tomber au bout d'un moment. Toi tourner tête ?

Mess obéit et son regard balaya la pièce pour que Seize puisse tout regarder à travers ses yeux. Mess s'étonna surtout d'une magnifique collection de coffrets en porcelaine dont elle ne parvenait pas à se figurer l'usage. Ses yeux glissèrent sur les quelques livres de la bibliothèque, trois volumes en papier, un luxe incroyable en cette époque du tout-numérique. Mais, au vu des couvertures, le contenu n'était ni scientifique ni médical, ça ne l'intéressait pas. Elle y revint à regret quand Seize l'arrêta d'une pression sur son avant-bras :

– *Le… Li… vre de la… Jungle*, *L'Enfant… tombé… des… étoiles*, *Les Misé… rables*, prononça celle-ci.

Mess se saisit du deuxième roman et, dubitative, en considéra l'illustration. Une énorme bête écailleuse à l'air ravi et tendre mâchonnait avec soin une carcasse de bus sous la menace d'un régiment en armes. Machinalement, la jeune Asiatique s'empara des trois volumes, car Trash exigeait qu'on récupère tous les livres qu'on pouvait. Ceux-là lui appartenaient, en plus.

– Tu sais lire, Seize ? demanda Mess avec admiration.

Malgré l'insistance de la Chef qui aurait voulu que tous les Tramps en soient capables, Mess n'avait pu se forcer à apprendre. Et pourtant cela lui aurait été souvent utile, lorsqu'elle recherchait des solutions aux divers bobos que se faisaient les gangboys ! Elle avait dû s'y prendre trop tard, mais elle respectait ceux qui y arrivaient. Le fait que Seize soit aveugle et y soit parvenue malgré tout renforçait son étonnement.

– Pas lire bien. Comprendre système dans têtes docteurs. Mais difficile apprendre comme ça, pas assez exercée, expliqua Seize avant d'affirmer : Ça, chambre Trash petite !

– Oui, je crois, souffla Mess avec un brin de gêne. Pourquoi elle a quitté ce paradis, d'après toi ?

Elle attrapa une photo cachée derrière un coffret sur une étagère. Elle représentait une toute petite fille en robe rose un peu trop décolletée. La gamine fixait l'appareil d'un œil vide, avec un sourire figé de commande.

Ce cliché dégageait une telle impression de trouble malsain que Mess le reposa aussitôt.

– Je... sais pas, répondit Seize après un silence.

La jeune fille mentait à moitié. Elle avait senti les émotions violentes qui avaient agité Trash et son père quand ils s'étaient revus. Des images d'une cruauté inouïe avaient jailli de leurs esprits. Elles avaient été très fugaces et parcellaires, si bien que la jeune empathe n'avait pas tout compris. Elle ne pouvait s'empêcher d'en être soulagée.

– Il la battait, peut-être? supputa Mess sans percevoir le malaise de sa voisine.

– Oui, peut-être battre, éluda Seize avec fermeté tandis qu'elle finissait de s'habiller. Rejoindre les autres?

Mess acquiesça.

Quand elles arrivèrent dans le patio, Wresh leur jeta un regard lourd de désapprobation. Regard qui s'alourdit encore lorsque Mess glissa les livres dans son propre sac. Mais Wresh ne pouvait rien dire; de tous les Tramps, elle était celle qui voyageait le plus léger: sa besace ne contenait que son minuscule CellComputer et une bouteille d'eau à moitié vide. Elle soupira. Depuis qu'elle avait dû laisser Spoilt au creux de sa niche, elle trouvait que rien n'allait comme il fallait. Elle se renfrogna plus encore en se rendant compte que son anxiété jouait sur son humeur. Mais elle ne pouvait s'empêcher d'en vouloir aux deux filles, comme si elles étaient responsables. Elle détourna les yeux et essaya de se détendre tandis que Seize se laissait tomber sur une chaise non loin de Junk.

Ce dernier approuva silencieusement la nouvelle tenue de sa voisine, un jean taupe et un joli pull fauve passé. Elle sourit au compliment informulé et le lui retourna du regard : le jeune homme avait ôté son blouson et troqué son vieux tee-shirt en lambeaux contre un marcel noir qui dégageait avantageusement ses épaules impressionnantes.

Pendant leur absence, Trash avait brossé le tableau des événements récents au journaliste. Didier Casteret, toujours en pyjama, ne la quittait pas des yeux en sirotant un café.

La Chef des Tramps conclut d'un air dubitatif :

– Tellier prétend que vous pouvez nous aider...

– Vous aider, je ne sais pas... murmura le gros homme, mais vous informer, ça je peux.

– Ne dis pas de conneries, Didier, tu vas les aider parce que tu as besoin d'eux ! Ils peuvent te faire sortir de la Bulle. Tu ne peux pas te cacher indéfiniment chez moi !

– J'avais pensé me tirer à Bruxelles ; j'ai rendez-vous cet après-midi avec un contact qui peut me concocter un passage discret par les banlieues ! protesta Casteret.

Trash et Junk échangèrent un regard : Bruxelles, la capitale fédérale des Cités-Bulles d'Eurasie, n'était qu'à une heure d'hélico-taxi de Paris ; ce moyen de transport était très surveillé. Mais rejoindre la Bulle par un autre moyen, quel qu'il soit, relevait de la mission suicide.

Trash haussa les épaules : après tout, elle s'en fichait bien si le gros Euraz risquait sa précieuse peau bêtement.

– Nous pouvons vous faire sortir de Paris, mais... commença-t-elle.

– *Mais c'est du délire !* intervint Tellier. *Didier, à Bruxelles, ils t'auront aussi bien qu'ici. La seule solution, c'est que tu quittes les Bulles et que tu travailles de l'extérieur.*

Le gros homme se tassa sur lui-même en pâlissant.

– Tu sais quelles sont les statistiques de survie dehors ? Bordel, je n'aurai pas une chance !

– *Et encore moins dans une Bulle, résigne-toi. Tu es allé trop loin : ils ne te feront même pas le cadeau de t'envoyer crever dans une Serre.*

– Venez chez les Tramps, proposa Trash, nous avons un accès au Net et les conditions de vie ne sont pas tout à fait aussi horribles qu'ailleurs, même pour un Euraz comme vous. Si vous nous aidez, nous vous donnerons asile.

Elle ne s'appesantit pas sur le fait que, même chez les Tramps, elle ne croyait guère à la survie de Casteret. C'était un Euraz, déjà, et de plus il lui faudrait *d'abord* parvenir à la Poubelle. Et ce n'était pas gagné vu la condition physique du bonhomme.

– Donc, vous savez pourquoi les Bleus se sont mis en tête de rafler tous les gosses qu'ils pouvaient ? insista-t-elle. Alors que, d'habitude, ils nous laissent gentiment crever de faim dans nos... trous pouilleux ?

Casteret eut un frisson. Il s'imagina vivre, si on pouvait appeler ça comme ça, dans le « trou pouilleux » que ces « Tramps » avaient certainement choisi pour repaire. Un instant, il joua avec la tentation de tout laisser tomber, de fuir cet appartement et de se rendre directement aux anciens subordonnés de Tellier. Les Bleus ne le tueraient peut-être pas... pas tout de suite en tout cas. Mais il se reprit :

– Et elle ? fit-il, la voix encore tremblante, désignant Seize du pouce. Elle est... différente, non ?

Junk fronça les sourcils et lança un regard d'avertissement au journaliste :

– Elle a des pouvoirs étranges : elle sent ce qu'on sent et elle voit ce qu'on voit, elle dit qu'un labo l'a fabriquée pour sentir les 4...

Casteret hocha la tête :

– Oui, il y en a quelques autres comme elle dans Paris, les Bleus les utilisent de plus en plus souvent. Et pas seulement pour traquer les Nada4. (Et directement à Seize :) J'ai échappé de justesse à l'une de vos « sœurs », il n'y a pas longtemps, mademoiselle, fit-il sans rancune.

Seize pencha la tête de côté et rétorqua avec un brin de malice :

– Si je vous poursuivre, vous pas échapper. Je très efficace.

Casteret rit avec reconnaissance. Ça faisait du bien. Il se gratta la tête, se demandant par où commencer :

– Bon, le 4, d'abord. Vous avez vu la ville ?

Les deux adolescents acquiescèrent.

– Elle est déserte parce que les gens se cloîtrent chez eux, soit parce qu'ils ont peur du 4, soit parce qu'ils l'ont déjà et qu'ils ne veulent pas se faire jeter hors de la Bulle. Sans compter les BloodKlans, ces bandes d'ados extrémistes menés en sous-main par la frange radicale du Conseil Municipal. Ils traquent les 4 et les transforment en torches vivantes.

Trash et Junk hochèrent la tête au souvenir du cadavre dans le parc Monsouris. Le journaliste reprit presque en bafouillant de colère rentrée :

– Paris est la proie d'une épidémie majeure ! Des bandes dangereuses la sillonnent, la ville est au bord de l'implosion, tout le monde le sait et personne ne le dit nulle part ! L'argument du Conseil, c'est que leurs labos sont à la veille d'éradiquer le virus et qu'il est anticitoyen d'affoler la population « pour rien ».

Là, il ricana :

– Comme si tout le monde n'était pas déjà affolé ! En fait, ce que le Conseil Municipal ne veut surtout pas qu'on divulgue, c'est *comment* vont être pratiqués les tests... J'ai mené une enquête – apparemment pas assez discrète – et le Conseil a exercé des pressions sur mon directeur pour qu'il me vire. Je n'ai échappé aux Bleus que parce que François m'a accueilli chez lui, personne n'a encore eu l'idée de venir m'y chercher.

– *Ça ne durera pas, quelqu'un finira bien par se souvenir que nous avons fait nos études ensemble,* avertit Tellier.

Casteret approuva d'un air résigné.

– Et ça nous concerne en quoi, tout ça? s'écria Junk qui s'impatientait.

– Même si les autorités vous présentent comme un ramassis de criminels juste bons à travailler à mort dans les Grandes Serres, je ne pense pas que la population apprécierait que...

Junk le stoppa net:

– Vous parlez des types qui nous tirent comme des pigeons du haut de leurs hélico-taxis?

Casteret accusa le coup, mais ne protesta pas:

– Ces derniers temps, le Conseil a réquisitionné les gamins envoyés dans les Grandes Serres pour «raison d'État». Les Grands Fermiers Généraux ont râlé, puis refusé de fournir les «unités» demandées. Ça leur faisait trop de main-d'œuvre en moins.

– Alors, le Conseil s'est dit que ce serait plus facile de choper directement les mômes des gangs, c'est ça? fit Junk. Mais qu'est-ce qu'ils en font?

– Leurs labos testent le vaccin contre le 4 sur eux...

– Hein? s'exclamèrent Junk et Trash en même temps.

La jeune femme acheva pour eux deux:

– Mais les recherches sur cette maladie sont au point mort depuis des années! On n'a même plus le droit de *produire* les médocs existants! Votre putain de solution, ça a été de faire voter une loi qui éjectait les malades pour qu'ils crèvent dehors!

– Ce n'était pas MA solution, modéra Casteret. La frange radicale du Conseil joue sur la terreur du 4 et des gangs pour asseoir son autorité sur les Euraz depuis des années. C'est elle qui finance les BloodKlans en sous-main et les pousse à des actes «ostentatoires» tels que brûler les malades un peu partout.

Il se redressa dans son fauteuil et se servit un autre café. Il avala une gorgée avant de continuer sur un ton un peu sentencieux:

– Lorsqu'on veut instaurer un régime politique répressif, rien de mieux que faire trembler la population en agitant la menace d'un ennemi dangereux et proche. Le 4 et les gangs font très bien l'affaire. Pourtant, malgré les quelques tarés qui font des cartons du haut des hélicos, et même si les Euraz tremblent dans leurs culottes à la simple idée de croiser un gangboy ou un malade, ils ne sont pas tout à fait prêts dans l'ensemble à admettre qu'on traite des gosses comme des animaux de laboratoire. (Casteret jeta un regard d'excuse à Seize.) De toute façon, la Constitution de la Fédération l'interdit encore. Mais les chercheurs parisiens se font fort d'avoir trouvé le remède, *cette fois*, et la Municipalité ne veut pas faire la même erreur qu'avec le 3...

– Ah! fit calmement Trash. On l'a prouvé, ça, finalement?

Le journaliste hocha négativement la tête:

– Non, *je* l'ai prouvé. Et c'est pour ça que le Conseil me traque. Avant, il n'y avait que des rumeurs. Suffisamment pour que le Conseil prenne peur, ferme deux laboratoires et étende la loi Non Grata aux malades, après l'avoir appliquée aux chômeurs et aux sans-logis, et...

– De quoi vous causez ? demanda Junk, sidéré.

– La loi Non Grata, commença le journaliste, c'est celle qui donne le droit d'expulser de la Bul...

Junk l'interrompit :

– Non ça, je sais, merci !

Trash haussa les épaules :

– Quand j'ai quitté la Bulle... des rumeurs couraient, comme Casteret vient de le dire... On murmurait que le Nada4 était le résultat d'une erreur des labos de Paris lors de l'élaboration du précédent vaccin, il y a dix ans, celui contre le 3. Devant l'urgence de l'épidémie, les labos n'ont pas procédé à tous les tests d'innocuité. Les médecins ont vacciné, constaté des guérisons et laissé partir des patients apparemment en pleine forme qui, en fait, étaient en train de développer le 4...

– Le 4 est une création de laboratoire ? Mais on m'a toujours affirmé que c'était une mutation du 3 !!

La bouche de Junk béait.

Les deux autres hochèrent la tête. Le journaliste soupira :

– Eh bien, en fait, ça n'est pas totalement faux... Le 4 est bien une mutation du 3, sauf qu'elle n'est pas naturelle...

Et ce n'est pas tout... Vous ne vous êtes pas demandé pourquoi les malades atteints du 4 sont en général des Euraz? Et que les banlieues sont moins touchées malgré tout?

Junk haussa les épaules:

– Ben, dans les banlieues, les vieux, on les abat, à part ceux qu'on connaît déjà. Alors, z'ont pas franchement le temps de nous contaminer. Sauf pour les maladroits qui se font mordre... Et les derniers 3 sont morts il y a longtemps...

– C'est surtout qu'on a testé les premiers vaccins contre le 3 sur les employés de la Bulle. Ce sont eux qu'on a choisis comme cobayes à l'époque. À leur insu. Ils étaient en pleine santé. On leur a injecté le vaccin, puis le 3. Tout le monde s'est frotté les mains en constatant qu'ils semblaient aller très bien et ne développaient pas la maladie. Alors, on les a laissés partir.

– D'accord, reprit Junk. Donc, on a contaminé les employés avec un vaccin dangereux? C'est ça qu'ils veulent vous empêcher de révéler?

– En fait, le vaccin en lui-même n'était pas dangereux, seulement inopérant, mais c'est sa combinaison avec les injections de Nada3 qui a provoqué la mutation du virus.

– Et ils vont faire pareil avec nos copains?

Junk voulait en arriver au fait. Casteret le regarda bien en face:

– Pas tout à fait. Ils ont compris la leçon. Lorsque les médecins auront toutes les données nécessaires, les cobayes seront euthanasiés. Cette fois, on ne les libérera pas dans la nature...

– Même si leur saloperie de vaccin fonctionne ?

– Même. Ça fera toujours des gangboys en moins, n'est-ce pas ?

CHAPITRE

14

Un silence de plomb régnait dans la chambre de François Tellier. On entendait seulement la frappe sèche et nerveuse de Trash sur le clavier minuscule d'un vieux KidCellComputer qui avait dû lui appartenir jadis. Casteret travaillait à côté d'elle sur le sien, bien plus moderne, portable et à écran tactile. Dans un premier temps, ils avaient pensé se brancher directement sur celui de Tellier. Mais outre que celui-ci régulait les fonctions vitales du père de Trash, il commandait également les équipements robotiques de la maison. Plus rien n'aurait fonctionné.

Junk n'avait pas eu trop de mal à mettre en réseau les trois bécanes, si bien que tous avaient accès au Net. Mais cela faisait une heure que sa Chef et le journaliste surfaient, et ils n'avaient trouvé qu'une seule chose : les

Serrault, les parents de Louis, avaient bien été arrêtés et leur appartement scellé. On recherchait activement le gamin.

Trash le fit venir pour le mettre au courant en deux mots. Louis prit la nouvelle avec un calme impressionnant qui, le premier mouvement de timidité passé, semblait être le trait marquant de son caractère. Il se contenta de demander d'une voix presque ferme si la proposition de Trash de rester avec les Tramps tenait toujours. Devant l'affirmative, il avait poliment remercié et était ressorti de la chambre en compagnie de Wresh. La brune ne protesta pas lorsqu'il lui prit la main et la serra très fort sans mot dire. Elle lui rendit sa pression.

Pas trace de l'endroit où les Bleus gardaient les Tramps. Pourtant, les anciens codes du Juge Fédéral Tellier, du moins ceux qui n'étaient pas obsolètes, leur avaient ouvert bien des sites qui, sans cela, leur seraient demeurés inaccessibles. Junk, adossé au mur et les bras croisés, contemplait la nuque tendue de son amie. Il n'avait plus bougé depuis qu'elle s'était assise devant son clavier.

Pendant ce temps, Louis, Mud, et Spent avaient été chargés de préparer un repas consistant pour tout le monde, juste après que la triste nouvelle avait été annoncée au jeune homme. Tellier les aidait depuis son lit, grâce à un petit robot ménager. Il s'était excusé du vide de son frigidaire. Il n'attendait pas tant de monde! Et il ne pouvait effectuer de grosse commande aux

Distributeurs des Grandes Serres, lui qui mangeait si peu désormais, sans risquer d'attirer l'attention.

Personne n'avait fait grand cas de ses excuses, car le contenu du congélateur avait révélé un trésor : une demi-douzaine de T-bone steaks et des kilos de frites surgelées ! Autant dire le paradis pour ces enfants privés de nourriture correcte depuis leur naissance. Ces délices, ils en avaient entendu parler, les décharges leur en avaient parfois offert quelques vestiges. Mais personne, sauf Louis, Mud et Trash, n'avait connu le bonheur d'en avoir une assiette entière.

Aussi, et malgré le peu de succès rencontré par les recherches de leur Chef sur le Net, le moral des Tramps remontait-il en proportion de la température de l'huile dans la friteuse. Même Wresh se montrait plus chaleureuse ; au bord de la piscine, on entendait rire les trois filles qui, après s'être chargées d'aménager des dortoirs dans l'ancienne chambre de Trash et un bureau abandonné, attendaient le repas en papotant, les pieds barbotant dans l'eau bleue.

Le silence dans la chambre du malade devenant trop pesant, Casteret alluma les haut-parleurs de son portable et fit défiler sa *play-list* musicale personnelle : de très vieux arrangements rock acoustiques qui dataient d'avant les Bulles.

Janie's got a gun.

Junk sursauta et leva les yeux au plafond d'où sortait la musique.

Janie's got a gun...

La voix tiède et éraillée du chanteur montait dans les aigus les plus perçants avec une aisance incroyable, tandis que les percussions graves et chaudes prenaient directement à l'estomac. Au bord de la piscine, les filles applaudirent, ravies, tandis qu'on entendait des « Yeah !! » convaincus fuser des tréfonds de la cuisine. La musique était encore plus rarissime dans leur vie que la viande.

Her dog day's begun

Tell her now it's untrue

What did her daddy do.

Trash sourit vicieusement devant son écran.

– *Assez ! Arrêtez ça !*

Tellier hurla si fort que tout le monde dut se protéger les oreilles. Ahuri, Casteret se retourna vers son ami en balbutiant :

– Tu n'aimes pas le vieux rock traditionnel, toi ? Je croyais...

Il voulut arrêter le lecteur, mais Trash s'interposa :

– Laissez, Casteret, j'adore cette chanson, MOI. Vous ne pouviez pas mieux tomber. N'est-ce pas, Tellier ?

Elle se tourna, vipérine et les yeux durs, vers son père qui souffla :

– *Comme tu veux... Trash.*

La jeune femme hocha sèchement la tête dans une approbation cruelle. Elle se remit au travail, battant le rythme du pied, sa tresse sanglante dansant dans son dos mince. Les yeux de Casteret allaient de l'un à l'autre avec une expression à la fois perplexe et inquiète. Il se secoua et retourna lui aussi au travail, se demandant tout de même ce qu'il avait bien pu faire.

And put a bullet in his brain

She said 'cause nobody believes me[1]*...*

Tellier ferma les yeux. Les larmes commencèrent à couler de ses paupières closes, le long de ses joues cendreuses, mais personne ne faisait attention à lui. Lorsque la chanson mourut et fut remplacée par une autre du même groupe, il inspira profondément, comme s'il lui avait été impossible de respirer tout le temps de son écoute.

Mud déboula soudain dans la chambre. Il s'encadra dans la porte, souriant, les joues rosies par la chaleur de la cuisine :

– Hé, m'sieu ? Votre robot doit être en panne, il bouge plus ! (Et il ajouta pour les autres :) À table, c'est prêt !!

Junk décréta la pause d'une voix sans réplique à laquelle même Trash, dont le premier mouvement avait

---

1. *Janie's got a gun*, chanson écrite en 1989 par le groupe de hard-rock *Aerosmith* (auteurs : Steven Tyler et Tom Hamilton).

Traduction : *Janie a un flingue*
Janie a un flingue
...
Sa journée de chien a commencé
Dites-lui maintenant que ce n'est pas vrai
ce que son père lui a fait
...
Elle dit qu'elle lui a collé une balle dans la tête
Parce que personne ne la croyait...

été d'ignorer l'appel, finit par se soumettre. Le repas fut bref mais joyeux. Les Tramps n'avaient pas l'habitude de traîner à table, cependant ils léchèrent leurs assiettes jusqu'au fond avec une avidité qui laissa Casteret rêveur. On avait débarrassé. Trash et le journaliste s'apprêtaient à retourner au travail, tandis que le reste des Tramps désœuvrés commençaient à contempler la piscine et ses bords accueillants d'un air songeur. La cloche d'entrée résonna deux fois. Les jeunes se dressèrent aussitôt, sur leurs gardes.

– *Merde!* s'exclama Tellier. *Je l'avais complètement oublié, celui-là!*

– C'est qui? demanda Junk d'une voix dure.

– *Mon infirmier, allez vous cacher dans les chambres, vite!*

Ils ne se le firent pas dire deux fois et se réfugièrent tous dans le bureau attenant en emportant les ordinateurs supplémentaires. L'ascenseur s'arrêta à l'appartement à l'instant pile où Junk repoussait doucement la porte. Il la laissa entrouverte pour pouvoir suivre les allées et venues de l'intrus. Un homme chauve vêtu de blanc jaillit de la cabine en claironnant avec une gaieté de commande:

– Bonjour, monsieur le Juge! C'est moi!

– *Bonjour, Jacques, vous êtes en retard!* fit la voix électronique de Tellier d'un ton sec comme s'il l'avait attendu avec impatience.

Junk vit l'homme consulter sa montre et grimacer avant de pénétrer dans la chambre de Tellier. Derrière le colosse, la bande et le journaliste retenaient leur souffle.

– Merde ! siffla Junk entre ses dents.

– Quoi ? murmura Casteret dans son dos.

– Y a un abruti qui a oublié son café sur la table devant la piscine ! Si le type le voit...

Casteret tiqua, l'abruti c'était lui, mais il ne répondit rien. Junk fit signe à Spent :

– Va me récupérer ça discretos, avant que le mec revienne. Je crois qu'il l'a pas remarqué, mais il va pas le louper au retour.

Spent hocha la tête tandis que le dialogue entre l'infirmier et son patient tombait des haut-parleurs. Tellier avait branché le micro en mode émission générale au lieu de le laisser seulement calé sur sa propre voix.

– *Qu'est-ce que vous avez fichu, Jacques ?*

– *Je suis navré, monsieur le Juge, la police a interrompu les transports le long du boulevard des Maréchaux, j'ai dû prendre une autre ligne d'aérotram...*

En même temps que la voix obséquieuse de l'infirmier, on entendait en arrière-plan des bruits de verre et de métal qui s'entrechoquaient. L'homme assurait sans doute la maintenance du lit médicalisé. Spent se glissa dans le patio avec une discrétion étonnante pour un garçon de son poids. Il saisit la tasse dénonciatrice, se précipita à nouveau dans le bureau et se laissa glisser à terre près de Mess, haletant. Junk lui jeta un coup d'œil approbateur qui fit naître un sourire radieux sur la figure ronde.

– *Voilà, monsieur le Juge! J'ai changé votre perf, tout est nickel. À demain!*

– *À demain, Jacques.*

L'ascenseur redescendit, emportant l'infirmier. Les Tramps sortirent de leur cachette avec moult soupirs de soulagement. Trash regarda une horloge accrochée au mur blanc. Il était déjà une heure de l'après-midi, cela faisait largement plus de vingt-quatre heures que personne n'avait fermé l'œil. D'ailleurs, leurs estomacs trop remplis et la chute de tension due à la visite impromptue les avaient achevés. Tous bâillaient. Mess dormait debout. Quant à Spent, il ne s'était pas donné la peine de se relever depuis la récupération de la tasse: il semblait prêt à ronfler sur place, un sourire ravi en travers du visage. Trash aboya:

– Bon, l'alerte est finie! Tout le monde va se pieuter, sauf Casteret et moi, on a encore du boulot.

– Il a dit quelque chose de très intéressant, cet infirmier... fit remarquer le journaliste.

Il se rua dans la chambre de Tellier et reconnecta son CellComputer au réseau.

– Ouais! s'exclama-t-il.

– Quoi? demanda Trash, qui arrivait juste dans son dos.

– On n'a pas trouvé les gosses parce qu'on les cherchait dans les centres de détention habituels! Or, ton

Jacques, fit-il à l'adresse de Tellier, a dit qu'il avait été retardé par les Bleus le long des boulevards intérieurs...

– *Et alors?*

– Et alors ils sont là! jeta-t-il triomphalement en montrant une photo sur son portable. Au stade Charléty! C'était ça ou la prison de la Santé. Vous étiez combien au Réservoir? Trois cents environ?

Junk et Trash approuvèrent.

– La Santé est pleine; le stade était un choix évident, compte tenu de la proximité. Et puis ce n'est pas la première fois qu'un État répressif enferme les gens qui le dérangent dans un stade, dit-il sombrement.

Trash le fixa avec froideur, les considérations historiques n'entraient pas dans ses priorités actuelles.

– OK, ajouta-t-il en baissant les yeux sous le regard gris acier. Maintenant, il ne reste plus qu'à trouver vos Tramps parmi tous les prisonniers et à les faire sortir de là.

– Non, fit Trash.

– Quoi, non?

Casteret la regardait, stupéfait.

– Vous ne voulez plus les libérer?

– Si, bien sûr, expliqua la jeune femme avec une patience qu'elle était loin de ressentir. Mais on va faire sortir tout le monde, pas seulement les Tramps.

– Je te trouve bien généreuse sur ce coup-là! grommela Junk. Le monde serait moins dégueu sans certains des salopards enfermés là-bas.

Trash éclata d'un rire sans joie :

– Ah ! Junkie Junk, ne crois pas que je sois gentille, c'est ce qu'il y a de plus simple, c'est tout. Tu vois cette foule... ?

Du pouce, elle désignait l'écran. Pendant qu'ils parlaient, elle avait piraté le réseau de surveillance du stade et s'était branchée sur les caméras. On voyait fort bien la horde de gangboys errant sur les pelouses, entourés par des cordons de Bleus en armes.

– Il sera plus difficile pour les Bleus de remettre la main sur trois cents gosses que sur une poignée, continua-t-elle. Je veux libérer les autres parce qu'ils feront diversion pour nous...

Junk approuva mais insista :

– Et après ? Qu'est-ce qui va empêcher les Bleus de venir nous traquer dans la Poubelle ?

– Ça, nous n'y sommes pas encore, dit lentement Trash. Mais on est armés, on connaît mieux le terrain qu'eux, on pourra tenir.

Casteret soupira :

– Eh bien, je suppose que c'est là que j'interviens... Ce qu'il faut, c'est que la Fédération Eurasiatique des Cités-Bulles fasse pression sur la ville pour obliger le Conseil à renoncer à ce projet criminel.

Trash le regarda avec un air de pitié :

– La Fédération ne peut pas intervenir dans les affaires intérieures d'une Bulle et elle n'y a aucun intérêt. Vous croyez vraiment que vos petits articles de merde vont les pousser à enfreindre la Constitution de l'Eurasie ? Vous rêvez !

Casteret lui rendit ironie pour ironie :

– S'ils ne paraissent pas, ou s'ils ne sont pas signés d'un journaliste connu comme moi, certainement pas. Et vous pouvez être sûre, ma chère, que si je reste dans la Bulle, ils ne verront jamais le jour. C'est pour ça que je le ferai depuis votre repaire... D'ici, je ne pourrais pas : je serais mort avant. Et ça ferait repérer François, sa bécane est quand même assez surveillée.

Trash le regarda bien en face :

– Vous voulez toujours nous accompagner ?

– J'ai le choix ? Et d'ailleurs, ce ne sont pas les hauts fonctionnaires euraz que je vise avec mes articles de merde, comme vous dites...

La jeune femme haussa les épaules :

– Vous visez qui, alors ?

– Les employés, les employés de toute la Fédération ! Vous pensez, vous, qu'ils vont continuer à travailler tranquillement en sachant que, dans l'une des Bulles, leurs pareils ont été utilisés de cette façon ? Et qu'ils pourraient bien subir le même sort ?

Trash étouffa bien vite la lueur d'espoir que lui faisait miroiter Casteret :

– Ça ne servira à rien ! Les employés sont des moutons, ils vont se laisser tondre comme d'habitude !

– Oui, peut-être, mais je ne vois pas la Fédération prendre le risque d'une révolte générale. Parce qu'il y a quelque chose de pire qu'un tigre, vous savez?

– Ah bon, quoi? demanda Junk, perdu.

– Un mouton enragé, sourit Casteret vicieusement. Et avec ce que je sais et dont vous me fournissez les preuves, j'ai de quoi inoculer la rage à tout le troupeau...

Le plan d'action fut rondement conçu. Junk, Casteret et Trash se penchèrent sur les plans du stade, visualisèrent ses sous-sols et ses abords immédiats. Ils firent l'inventaire de leurs ressources et de ce qu'ils devaient se procurer. Faisant fi de toute prudence, Tellier commanda quelques bricoles inhabituelles à des amis sûrs qui les lui firent livrer sans poser de questions. Les messagers se contentèrent de laisser les commandes dans la boîte aux lettres du Juge et de sonner pour indiquer qu'elles étaient parvenues à destination. Puis Trash réveilla Wresh pour la mettre au courant. Les Tramps allaient devoir se séparer et elle dirigerait le deuxième commando. On agirait à la nuit tombante, entre chien et loup.

Enfin, ils rejoignirent le reste de la bande qui dormait déjà dans les deux pièces sur les matelas posés par terre. Trash s'étendit à côté de Junk. Mais la jeune femme lui tourna résolument le dos presque tout de suite. Seize, que leur arrivée avait réveillée pour quelques instants, s'était coulée tout naturellement dans les bras du colosse abasourdi. Elle s'était aussitôt rendormie. Junk, lui, les cheveux fins de la jeune fille dans le nez, eut plus de mal à trouver le sommeil.

Quelques heures plus tard, tout le monde se retrouvait dans l'entrée sur le pied de guerre. La petite bande emprunta l'ascenseur en compagnie de Casteret.

Au moment de franchir le lourd portail de fer forgé et de verre, Trash s'arrêta net.

– Je reviens ! dit-elle. J'ai oublié quelque chose.

Junk acquiesça, mais il agrippa fortement la petite main de Seize posée comme toujours sur son avant-bras. La jeune fille fermait les yeux et haletait, comme si elle avait reçu un coup. Personne n'y fit attention, la bande était désormais habituée aux aléas des pouvoirs de la jeune empathe.

L'ascenseur s'ouvrit à nouveau pour laisser passer la Chef des Tramps. Junk l'accompagna du regard jusqu'à ce que la cabine disparaisse.

Trash déboula en silence dans la chambre de son père.

– Tu es revenue ! Merci, fit-il. *Je n'en peux plus de vivre comme ça.*

La voix était ferme, elle irradiait un accent d'attente et d'espoir poignant.

– Je ne le fais pas que pour toi, rétorqua Trash d'un ton froid.

– Je sais. Ça va faire mal ?

Trash secoua la tête et saisit l'extrémité de sa longue tresse écarlate :

– Oui, mais ce sera rapide, plus que tu ne le mérites...

Elle hésita, la main sur le fourreau dissimulé dans ses cheveux. Tellier la scrutait avec angoisse, il sentait son incertitude et chercha une façon d'aider sa fille. Alors il souffla délibérément :

– *Merci, Alice...*

La lame du razor dessina un arc étincelant dans la pénombre de la chambre.

CHAPITRE

15

Lorsque Trash rejoignit ses compagnons dans le hall de l'immeuble, son visage était placide. Rien dans son attitude n'évoquait la scène sanglante qu'elle avait laissée derrière elle. Elle n'avait même pas une tache de sang sur ses vêtements, et le razor luisait dans sa chevelure rouge. Elle l'avait essuyé sur les draps.

Junk se rembrunit au vu de cette expression paisible sur le visage de son amie. Elle aurait dû exulter ou pleurer, enfin quelque chose, n'importe quoi, mais pas cet air-là. Pourtant il était sûr de ce qu'elle avait fait là-haut, même si les gosses n'en avaient pas la moindre idée. Sans parler de Casteret. Il jeta un coup d'œil à Seize qui perçut la question implicite plus sûrement que s'il avait hurlé. Elle attendit que Trash prenne la tête du groupe pour murmurer sourdement :

– Elle... va... bien. Trop bien. Indifférente. Pas vengeance, même pas. Juste achever blessé. Dans sa nouvelle nature.

Junk s'assombrit un peu plus. Seize tapota son avant-bras. Il se reprit sous le flot de chaleur tendre qu'elle lui envoyait.

La bande se scinda en deux, comme prévu, en bas de la Butte-aux-Cailles. Junk, Mess, Trash et Casteret de leur côté, tandis que le reste de la bande dirigé par Wresh se rendait directement à Montsouris ; Louis les accompagnait. Trash l'avait autorisé à remettre son bracelet après y avoir entré l'identificateur du sien, ainsi ils pourraient communiquer.

***

La nuit était complètement tombée quand deux Bleus se présentèrent à l'entrée de Charléty, escortant deux prisonnières menottées. Il y avait un gros officier en sueur, et son subordonné, un colosse dont l'énorme tête chauve remplissait la casquette à la faire éclater. La taille des gamines fit ricaner les gardes, les deux gosses minuscules entre leurs gardiens « de poids » avaient effectivement quelque chose de comique.

– Ils recrutent des gnomes dans les gangs, maintenant ! rigola l'un.

L'officier fronça les sourcils devant ce manque de discipline criant. Il présenta sèchement son ordre de mission à la sentinelle hilare, qui se reprit immédiatement et se racla la gorge, gênée. Le garde jeta un coup d'œil indifférent à la liasse de papiers où les armes de la Cité-Bulle, un bateau dans une sphère, apparaissaient en filigrane sous le logo criard de l'Euraz.

Ces faux documents avaient été la chose la plus difficile à obtenir. Trash avait mis une heure de plus que prévu à craquer l'ordinateur central de la Préfecture et à trouver le formulaire d'ordonnance d'internement. Quant à Casteret, malgré la haute technicité de l'imprimante de Tellier, il avait dû s'y reprendre à trois fois pour la paramétrer avec suffisamment de précision afin qu'elle reproduise correctement les filigranes et le logo.

Paradoxalement, les uniformes avaient été très faciles à dénicher. Ils faisaient partie de ces « paquets » déposés dans la boîte du Juge par des amis anonymes. Néanmoins, tout le monde espérait qu'aucun garde ne s'aviserait que les menottes n'étaient que des reproductions en plastique tirées d'un set de déguisement pour carnaval.

Les projecteurs étaient tous allumés et répandaient une lumière crue insupportable. Trash redressa la tête quand ils entrèrent dans le stade. Rien n'existait plus pour elle, pas même la vision atroce de l'homme égorgé deux heures plus tôt. Ce qui comptait, c'était que *ses* Tramps étaient là, quelque part.

Le stade était plein à craquer. Les gosses étaient rassemblés sans ordre précis sur la pelouse, sous les feux des projecteurs. Certains étaient allongés et dormaient, d'autres marchaient en petits groupes. Il y avait aussi des bagarres ici et là. Mais les Bleus, regroupés sur les gradins, l'arme au poing, n'intervenaient pas. Ils semblaient vouloir juste s'assurer que personne ne sortait du terrain. De temps en temps, une escouade d'une dizaine de flics fendait la foule et embarquait un prisonnier.

Le petit commando croisa une de ces escouades qui remontait avec sa prise. Assommé d'une décharge de Tazze, le gangboy avait essayé de résister. Son corps ballottait, inerte, sur les épaules d'un flic qui disparut bientôt à la vue de Trash, Mess, Casteret, et Junk.

Ces derniers firent avancer leurs « prisonnières » assez brutalement entre les travées. Ils semblaient chercher leur chemin dans les gradins, en fait il leur fallait localiser les Tramps capturés.

Plantée dans une tribune avec une poignée de flics et un médecin, si on en croyait la blouse blanche de l'homme, une des « sœurs » de Seize surveillait la foule. La fille était d'apparence plus normale que sa semblable, un prototype « réussi » probablement. De temps en temps, elle désignait un gangboy. Les flics allaient le chercher et l'entraînaient vers les vestiaires du stade. Sans doute un malade fraîchement contaminé à l'insu de son gang. Il y en avait quelques-uns malgré tout. Suivait la détonation étouffée d'un M31 sous les gradins. La gamine en compagnie des flics ne tressaillait même pas. Elle ne devait pas avoir la même puissance mentale que Seize, ce qui la rendait moins sensible aussi au sort funeste de ceux qu'elle désignait.

Trash épiait méthodiquement, froidement chaque visage en contrebas. C'est ainsi qu'elle les repéra : la grande Shabby d'abord et sa chevelure blonde, les crânes rasés des jumeaux, puis Worm. Ils étaient en difficulté. Dos à dos, les quatre Tramps faisaient face à une demi-douzaine de gangboys dont l'attitude paraissait menaçante, même du haut des gradins. Entre eux, un corps était étendu, face contre terre.

– Ils sont là, fit Trash entre ses dents. Je crois que c'est assez pressé. On descend.

Junk suivit le regard de sa Chef et hocha la tête :

– On vous couvre.

***

Pendant ce temps, la petite bande de Wresh revenait dépitée de la niche où Spoilt était censé les attendre. Wresh pleurait intérieurement. Il avait purement et simplement disparu sans laisser de traces. Pourtant, elle lui avait dit qu'ils reviendraient bientôt le chercher ! Finalement, Louis se porta à sa hauteur et lui posa la main sur le bras :

– Ne t'inquiète pas, Wresh, peut-être qu'il a simplement changé de cachette...

Wresh haussa les épaules et n'osa pas répondre. Les sanglots d'angoisse menaçaient de l'étouffer. Si elle tentait d'articuler un mot, elle s'effondrerait en larmes. Ça la ficherait mal pour son premier commandement.

Ils empruntèrent à nouveau l'échelle qui donnait sur Montsouris. Spent en tête :

– Fachte ! chuchota-t-il. Y a des gens dans le parc, je viens de voir des ombres.

– Laisse-moi regarder, ordonna Wresh à voix basse mais d'un ton raffermi.

Spent se contorsionna pour la laisser prendre sa place.

– Merde ! C'est des Bleus, en plus. Le parc grouille de Bleus !

– Comment t'as fait pour voir que c'est des Bleus ? C'est noir comme le cul d'un rat, ce fichu jardin...

– Les casquettes, grommela Wresh, ça leur fait une grosse tête.

Seize se hissa à son tour aux côtés de la jeune fille. Sa nyctalopie lui permettait d'identifier les ombres mieux que quiconque.

– Bleus, aucun doute !

– C'est certainement pour ça que ton ami est parti ! fit remarquer Louis sur le même ton étouffé. Tu vas voir qu'il nous attend sur le trajet de retour !

Wresh esquissa un pâle sourire dans le noir. Elle aurait bien voulu être convaincue par l'explication, mais quelque chose clochait dans cette histoire. Elle n'arrivait pas à mettre le doigt dessus. C'était peut-être simplement dû à l'indifférence avec laquelle son compagnon l'avait accueillie, lorsqu'elle était passée le voir en vitesse avant d'aller chez Tellier. Après un tout petit bisou, il s'était seulement enquis de leurs aventures et la seule chose qui l'avait intéressé, c'était l'endroit où les Tramps comptaient se rendre après le grand coup de filet du Réservoir. Elle avait dû avouer son ignorance. Apparemment assez déçu, Spoilt l'avait renvoyée, pas trop gentiment, rejoindre la bande. Ouais, c'était peut-être ça qui la turlupinait...

***

Débarrassées de leurs menottes, Trash et Mess se frayaient un chemin dans la foule sur la pelouse. Elles sentaient dans leur dos les regards faussement détachés de Junk et Casteret, demeurés sur les gradins. Junk crispait les mâchoires de frustration en contemplant les Tramps qui commençaient à se battre avec acharnement.

Une rumeur grondante montait des pelouses. Trois cents mômes hurlaient des insultes aux Bleus, discutaient, se disputaient, se donnaient des coups. De toutes parts, des sarcasmes fusaient et des sanglots éclataient, c'était assourdissant. Les deux filles se glissaient entre les groupes en essayant de ne pas trop se faire remarquer.

C'était difficile, la natte de Trash la désignait mieux qu'un phare aux yeux des gangboys avertis. Mais pour l'instant, le pire qu'elles récoltaient, c'était des insultes relatives au statut de clochards des Tramps. Mess, en remorque derrière la jeune femme, baissait la tête et tentait de contenir sa colère. Elles gagnaient du terrain vers les Tramps en détresse.

– Hé, mignonne ! Ça te dirait, un vrai mâle ?

Un gangboy avait agrippé l'avant-bras de Mess et la tirait vers lui. Il n'eut que le temps d'esquiver le razor, lorsque Trash le lui pointa presque dans l'œil. Mais il n'eut pas de deuxième chance : elle lui balafra l'avant-bras d'un simple geste du poignet.

***

Wresh et les siens rampaient dans l'herbe, mètre par mètre. Dans l'obscurité du parc, ils étaient quasiment invisibles. De plus, à l'évidence, les Bleus ne recherchaient personne. En fait, ils demeuraient dans le coin parce qu'ils avaient mis la main sur le stock de came du gang de Markus. Wresh leva un peu la tête pour observer la énième patrouille chargée de lourds cartons qui empruntait l'allée. Ils s'éclairaient avec de bonnes grosses Maglite et ils plaisantaient entre eux. L'ennui, c'était qu'ils tenaient l'entrée des catacombes, le tunnel que Trash leur avait dit de prendre pour les rejoindre à Charléty.

Maladroitement, Mud se traîna jusqu'à elle. La silhouette tout en angles du jeune homme n'était pas faite pour la reptation, c'était le moins que l'on pouvait dire.

– On va pas pouvoir prendre le chemin de Trash, chuchota-t-il.

Wresh secoua la tête silencieusement, sans se soucier qu'il la voie ou non. Si c'était pour lui sortir des évidences pareilles, le rouquin aurait mieux fait de se taire. Mud la tira par le coude :

– Mais on peut peut-être prendre par les égouts, ça serait quand même bizarre qu'ils passent pas sous le stade.

– Et comment on va se repérer dans ce labyrinthe ? lança-t-elle en essayant de contrôler son agacement devant l'insistance de Mud.

– Je connais un peu le coin, tu te souviens ? Écoute, en fait c'est très simple : on va suivre la Bièvre...

– La quoi ?

– La Bièvre. C'est une rivière souterraine qui coule pas loin de Charléty – on l'a vu sur le plan de Trash – et file se jeter dans la Seine. Je te parie ma chemise que les couloirs suivent son cours.

– Tu veux qu'on remonte une rivière pour s'orienter ? demanda la jeune fille, sidérée.

– Bonne solution, intervint Seize. Moi connaître un peu égouts aussi, quand se perdre, patrouilles Bleus toujours essayer rejoindre Seine. Faire l'inverse, c'est tout.

Les deux autres approuvèrent.

– D'accord, fit Wresh, désarçonnée. On fait comme tu dis...

Le ton était boudeur. Mud ne se rendait pas compte qu'il venait de prendre le commandement de la petite troupe et que Wresh n'allait pas se laisser déposséder ainsi, même si, pour l'instant, elle n'avait rien de mieux à proposer.

***

Du haut des gradins, Junk avait sursauté lorsqu'il avait aperçu l'éclat d'acier du razor au milieu de la foule. Mais il s'était détendu rapidement : aucun Bleu ne faisait réellement attention à ce qui se passait en bas. Ils étaient certains qu'aucune arme n'avait pu échapper à leurs fouilles. Ils se moquaient bien de ce que les mômes se faisaient subir. La natte rouge continua à avancer dans la marée humaine après un arrêt momentané.

Quelqu'un doit être en train de compter ses doigts en ce moment, pensa Junk avec un sourire.

Trash se glissa parmi la rangée de gosses qui regardaient la bagarre. Ses gangboys semblaient se battre pour protéger le type à terre. Les spectateurs commentaient les coups, comme on l'aurait fait jadis d'un match sportif. Quelqu'un prenait des paris en rigolant.

– La grande blonde, elle a de beaux nibards, s'esclaffa un gamin, mais sa droite est ridicule !

Trash lui écrasa volontairement les pieds en passant et ignora son cri de protestation.

– Tramps ! cria-t-elle.

Surprise, Shabby relâcha son attention au mauvais moment. Un type en profita pour donner un coup de pied dans la tête du garçon couché. Il y eut un choc sourd et Trash vit un peu de sang tacher la tignasse brune.

Elle prit son élan. Son corps mince s'arqua presque sur place en un saut périlleux parfaitement réussi qui la fit atterrir juste sous le nez de l'agresseur qu'elle élimina d'une manchette sèche à la gorge. Il s'effondra à un mètre à peine de sa victime. Mess et elle se faufilèrent entre Shabby et Worm :

– Merde, Chef, ils t'ont eue aussi ! grogna Shabby en se fendant pour porter à son tour un coup mal ajusté dans les parties sensibles de l'adversaire suivant.

Le garçon l'évita aisément, mais Trash le cueillit d'un revers. Il s'effondra à son tour en gémissant. Trash secoua la tête :

– Concentre-toi, idiote !

***

Spent, Seize et Louis suivaient Mud et Wresh sans rien dire, se contentant d'écouter leurs chamailleries. Cela faisait un moment qu'ils crapahutaient dans les égouts sous la direction du rouquin.

– Je vois pas comment tu sais que ça monte ! grommela-t-elle.

Mud se contint :

– Regarde l'eau, dit-il seulement.

Wresh contempla un quart de seconde le canal putride.

– Ouais, et... ?

Personne n'osa lui répondre, l'évidence crevait les yeux. Ce fut Louis qui craqua. Wresh était odieuse.

– L'eau coule, fit-il calmement.

– D'accord, et elle mouille aussi! grinça Wresh. Autre chose que je saurais pas?

– Ben, pour commencer, elle coule dans le sens de la pente...

Matée, Wresh se tut. Elle se sentait ridicule. Pas seulement parce qu'elle n'avait pas compris en même temps que tout le monde. Mais parce qu'elle s'était mal conduite et qu'elle le savait: elle faisait payer sa propre indécision à Mud. Et surtout l'absence inexpliquée de Spoilt. Elle rendit grâce à l'obscurité des tunnels qui camouflait ses joues brûlantes de honte.

***

Le dernier adversaire n'en menait pas large. Trash, le regard glacial, était assise sur lui, le razor contre sa gorge. La pointe effilée appuyait très exactement à l'endroit où l'artère battait follement.

Galvanisés par la présence de leur Chef, les Tramps n'avaient fait qu'une bouchée de leurs adversaires.

– Merde! fit Crap en relevant Mess qui était tombée derrière lui. Pour de la belle bagarre, c'était de la belle bagarre!

Mess sourit à l'accent convaincu du garçon. Ce n'était pas si souvent qu'il sortait de sa réserve, au contraire de son jumeau, plus extraverti. Lui, si discret d'habitude, au point qu'on l'oubliait, tremblait d'excitation.

Trash examina les gosses un par un. Il n'y avait pas de blessé, si on exceptait un assez joli coquard qui fleurissait sur l'œil droit de Worm et une estafilade le long de la joue de Shift. Rien de grave.

Rien qui empêche de courir, en tout cas, songea-t-elle en reportant son regard intense sur la foule autour d'eux.

Dès que la bagarre avait été terminée, les spectateurs avaient fait mine de se désintéresser de la question. Elle fixa à nouveau son regard sur sa victime qu'elle n'avait pas lâchée et dont les yeux papillotaient aussi follement que son sang pulsait dans sa jugulaire.

– Tire-toi, connard ! murmura-t-elle.

Le garçon ne se le fit pas dire deux fois. Il rampa hors de sa portée avant de se relever péniblement et de se perdre dans la foule. Trash se redressa et, ignorant la joie de ses compagnons, s'intéressa enfin au garçon qu'ils avaient si vaillamment protégé. Il était toujours couché sur le ventre et ne semblait pas près de reprendre conscience. Elle le retourna doucement. La tête ballotta, dévoilant un beau visage aux traits durs mangés d'une barbe récente.

– Markus ! souffla la jeune femme, médusée.

CHAPITRE

16

Wresh s'était sentie mieux dès qu'on avait enfin rejoint l'itinéraire prévu sur le plan de Trash. Elle avait pu reprendre la tête du groupe sans que Mud songe à la lui disputer, ce qui l'avait rassérénée d'autant. La jeune fille tenait beaucoup à l'approbation de Trash : enfuie d'un gang qui tenait ses membres féminins en mépris et esclavage, elle avait intégré les Tramps avec une revanche à prendre et des preuves à se donner à elle-même. C'était la première fois que la Chef lui confiait un commandement, elle voulait à toute force s'en montrer digne. Seize, Spent et Louis avaient perçu le soulagement de Wresh, ils se détendaient aussi.

Il faisait très noir sur le nouveau trajet mais, de temps en temps, une faible loupiote donnait un peu de lumière. Mud, très content de lui, jacassait sans répit. Personne n'avait le cœur de le faire taire. Après tout, si on s'approchait du but, c'était bien grâce à lui.

– ... Alors tu vois, en fait, ce grand canal qu'on longe, c'est la Bièvre, disait Mud. C'est une rivière célèbre. D'abord, parce que, depuis toujours, elle sape les murs du quartier. Alors les rues ont tendance à s'effondrer et on n'arrête pas de les « remonter » depuis des siècles. Mais, surtout, parce qu'elle est enterrée et donc mieux protégée de la pollution ; les patrons de mes parents la faisaient pomper pour leurs jardins. Mon père m'a dit qu'y a eu un grand écrivain qui avait fait s'évader son héros en suivant son cours... Tout à fait comme nous...

– Qui ça? demanda Spent, plus par gentillesse que par réel intérêt.

Les bouquins, c'était l'affaire de Trash. Le gros garçon adorait les histoires qu'on y trouvait mais il préférait qu'on les lui raconte.

– Je sais plus, fit Mud, penaud.

Louis vint au secours de son camarade :

– Victor Hugo dans *Les Misérables*. Il y a même des orphelins armés dedans ; vraiment tout à fait comme nous, soupira-t-il.

– Ce livre, être chez Trash, intervint Seize. Mess avoir mis dans sac de Wresh.

Mais avant que Spent, vraiment intéressé tout à coup, pose une autre question, des bruits de voix et de déplacements leur parvinrent droit devant.

– Vos gueules ! Ça m'étonnait aussi qu'il y ait pas de caméras dans le coin ou d'autres trucs comme ça. Ils patrouillent, chuchota Wresh. On se replie !

Les gosses se précipitèrent aussi vite qu'ils purent dans un couloir perpendiculaire, Wresh en tête. Le tunnel était encore plus sombre que les précédents, il n'y avait même pas une veilleuse.

– Attention, mur, souffla Seize qui, elle, y voyait très bien.

Wresh s'arrêta juste avant que son front ne percute les moellons de la paroi qui barrait le passage.

– Merde, un cul-de-sac !

Les gosses se tapirent dans l'obscurité. La patrouille passa devant leur cachette sans s'arrêter. Les silhouettes des Bleus occultaient la lumière une par une. Les casquettes et les armes en bandoulière dessinaient des monstres grotesques en ombres chinoises. Louis haletait en écoutant décroître les claquements secs des bottes. Il souffla lorsque leurs respirations devinrent les seuls sons audibles.

– Bon, on y va ! ordonna Wresh, tendue.

– Va falloir faire gaffe ! murmura Spent. Le coin n'est sans doute pas sécurisé comme la jungle d'hier, mais on s'approche du stade. Ils surveillent sûrement attentivement le secteur.

– Ouaips, fit Wresh.

Les cinq jeunes repartirent prudemment dans les tunnels dont les pierres moussues furent bientôt remplacées par des murs plus modernes au plâtre écaillé par l'humidité.

– C'est par là, dit Wresh, désignant un couloir sur la gauche.

Elle avait entièrement mémorisé les plans de Trash. Si elle ne savait pas lire, en revanche son cerveau retenait les images avec une précision remarquable. Spent hocha la tête et prit le couloir indiqué. Quelques minutes plus tard, ils débouchaient à nouveau dans un cul-de-sac. Le tunnel aboutissait à une grosse porte blindée protégée par un boîtier alphanumérique surmonté d'un œilleton lumineux.

– Là, c'est à toi, Wresh, chuchota Spent en laissant passer sa camarade.

Wresh examina le boîtier et son clavier.

– Me faudrait un couteau...

– Fachte ! Un couteau, ça se prête pas ! grommela Spent en tendant le sien. Fais gaffe à la pointe, vu ? Me la tords pas !

Sans répondre, la jeune fille fit sauter le couvercle d'acier, dévoilant les contacteurs des touches. De la pointe du cran d'arrêt, elle testa les courants au bout des fils.

– Aïe !

Le couteau tomba tandis qu'elle secouait sa main blessée. Spent récupéra son arme en râlant. Elle l'ignora et considéra la serrure d'un regard noir.

– Je vois ce que c'est, fit-elle sourdement.

Elle se pencha avec précaution sur l'entrelacs de fils et cartes à puces. Ses sourcils se fronçaient au fur et à mesure.

– Tu vas y arriver, tu crois ? demanda Louis, inquiet.

– Je ne sais... merde !

– Quoi ?

– Je comptais sur l'usure des contacteurs pour me dire quels chiffres et lettres étaient utilisés...

– Et alors, ils sont tous neufs ?

– Oh non ! Je vois bien les touches usées, mais il y en a dix. Une combinaison pareille, il me faudrait des heures pour la craquer... gémit la jeune fille. Ou des siècles.

– On ne peut pas attendre des heures... Et si tu bousillais le bidule ?

Wresh haussa les épaules et répliqua sèchement :

– La porte resterait fermée, qu'est-ce que tu crois ? Y a que dans les films qu'on tire avec un flingue dans la serrure et que le vantail s'ouvre. Les paramètres par défaut, c'est FERMÉ ! Non, faut que je tente un truc que m'a montré Junk... L'ennui, c'est qu'à la Poubelle je l'ai jamais réussi...

Elle sortit le CellComputer usé qu'elle traînait depuis qu'ils avaient récupéré les armes dans le couloir 6, et brancha deux petits contacteurs sur le boîtier. L'écran du mini-ordinateur s'illumina et une liste de fonctions apparut.

– Cool, il reconnaît la serrure, souffla Wresh, peut-être que...

Avec fébrilité, elle pianota d'un doigt sur le clavier minuscule, et une suite interminable de chiffres s'inscrivit sur l'écran.

– Je l'ai ! dit-elle triomphalement. Mon Cell est allé chercher le code-maître des constructeurs ! Avec ça, je shunte tous les mots de passe des Bleus !

Elle tapa méthodiquement le code.

La serrure cliqueta...

Et rien ne se produisit.

Wresh resta interdite une seconde.

– Bordel, mais ça devrait s'ouvrir ! J'ai réussi ! J'ai craqué le code-maître ! s'écria-t-elle, des larmes de rage et de déception dans les yeux.

– C'est parce qu'il y a une deuxième sécurité, regarde, fit Louis calmement en désignant l'œilleton au-dessus du boîtier.

Wresh y jeta à peine un coup d'œil. Cette fois, elle pleurait vraiment.

– Ça fonctionne avec leurs putains de bracelets ! Et je suis sûre que nos bandes « invités » allumeraient des alarmes dans toute la Bulle, parce qu'on n'a aucune raison d'être là. Le tien, pareil, t'es recherché, je te rappelle...

Louis réfléchit, puis fouilla dans sa poche et en sortit un autre bracelet plus large et sans doute plus vieux, car il n'étincelait pas comme le sien ou celui de Trash :

– Essaye avec ça...

Wresh ouvrit des yeux ronds :

– Mais d'où tu le sors?

Louis haussa les épaules, dans une attitude faussement désinvolte, mais ses yeux étaient un peu trop brillants :

– Mon père est un Bleu, tu te souviens ? Il me l'a confié pour mes contacts avec Markus. C'est un bracelet anonyme de haut gradé, un passe-partout, si tu préfères...

Wresh se mordit les lèvres, indécise, puis elle s'ébroua :

– Bon, de toute façon, on n'a rien à perdre !

Elle prit délicatement la chaînette d'acier terni et présenta la puce électronique à l'œilleton luisant d'un rouge malsain.

Le vantail d'acier glissa lentement sur ses rails invisibles...

***

Au même instant, Markus reprenait conscience. La première chose qu'il aperçut fut le visage de Trash penché sur lui. Elle regardait avec étonnement les cheveux trop longs et la barbe hirsute qui ne parvenaient pas à masquer le nez aquilin si reconnaissable quand on avait déjà croisé l'individu. D'habitude, le Chef des gangs parisiens était rasé jusqu'aux sourcils, cette pilosité abondante était sans doute un camouflage.

– Merde ! fit-il en tentant de se redresser.

Son bras se déroba sous lui. Il finit par s'asseoir puis essaya de se relever. Elle le repoussa d'un coup de botte.

– Bouge pas ! Bouge surtout pas ! lui ordonna-t-elle. (Puis elle s'adressa aux Tramps :) Et d'abord, qu'est-ce qui vous a pris, à vous tous, de risquer votre peau pour défendre ce type?

Ces derniers échangèrent des regards ennuyés. Shabby se dandina, très gênée. Les jumeaux regardaient ailleurs. Finalement, Worm se décida:

– On savait pas que c'était lui! Moi, j'ai jamais rencontré que Calder. Le Markus, je l'ai vu en photo une seule fois, il était chauve et il avait pas de barbe! gémit-il. Et puis c'était pas pour le défendre, mais pour Shabby!

Trash fronça les sourcils:

– Pour Shabby? Comment ça?

– Il la draguait, Chef! Elle avait l'air assez contente, et il faisait ça cool. On n'est pas intervenus. Puis y a un abruti qu'a voulu la lui disputer. Alors, il lui a balancé son poing dans la gueule, les potes du type sont arrivés et voilà...

Sous les regards croisés de sa Chef et de sa sœur, le garçon rougit violemment. Mess gloussa. Trash la fit taire d'un froncement de sourcils et claqua des doigts. Les Tramps formèrent un cercle serré autour d'elle, dos tourné afin de la cacher ainsi que son interlocuteur aux gangboys, et aussi pour mieux surveiller ces derniers. Elle s'accroupit et s'adressa à nouveau au jeune homme étendu:

– Bon, je ne crois pas une seconde que tu aies choisi Shabby par hasard. Donne-moi une seule bonne raison de ne pas t'égorger sur place.

Le beau visage s'assombrit sous sa barbe.

– OK, j'ai repéré ton gang et j'ai essayé de me faire bien voir de celle-ci... dit-il à voix basse en désignant Shabby. Je savais qu'il n'y aurait que toi qui me laisserais le temps de m'expliquer, et ils sont nombreux dans le coin à vouloir ma peau...

– Oui, ça arrive souvent aux traîtres... Et je n'ai pas tellement envie de te laisser t'expliquer, en fait...

Elle jeta un coup d'œil à son bracelet ID. Wresh et les autres n'étaient sûrement pas déjà en place.

– D'accord, tu as cinq minutes. Si tu ne m'as pas convaincue d'ici là, je te livre aux gangs, c'est clair? (Il acquiesça.) Alors? Qu'est-ce que tu fiches ici, au milieu de tes victimes?

– Je n'ai pas trahi volontairement, je te jure! Je me suis fait avoir!

– Comment ça?

– J'ai vendu de l'AzTc à quelqu'un à qui je n'aurais pas dû...

Trash le considéra avec mépris:

– Tu veux dire un Euraz? Quelqu'un de haut placé?

– Très haut placé. Une fille de ministre qu'un de ses domestiques avait mordue. Dans ces cas-là, je me charge moi-même des livraisons, j'ai des accréditations que mes hommes n'ont pas et je préfère contrôler ces clients de près.

– Sans compter que, comme ça, tu es seul à connaître leurs noms et que ça te sert de temps en temps pour un petit chantage ici ou là?

Markus acquiesça avec un sourire torve :

– On se comprend tous les deux. Et puis quoi ? Tu confierais des transactions aussi délicates à l'un de tes mecs, toi ?

– Non, en effet, mentit-elle pour pousser Markus à parler.

Mais elle pensait à Junk. À lui, elle aurait confié sa vie les yeux fermés, sans parler de celle des autres. Mais ça, un individu comme Markus était incapable de le comprendre.

– Tu vois bien ? fit-il en se fendant d'un sourire flamboyant qui rappela à son interlocutrice que c'était son étonnant charisme qui avait fait de Markus ce qu'il était.

Elle hocha la tête. Markus interpréta le geste de travers, il crut que la jeune femme l'approuvait alors qu'elle se disait qu'un bon coup de razor allait régler la question très vite.

– Bref, reprit le chef des gangboys, tout allait bien, jusqu'au jour où Calder, cet abruti, a confondu deux caisses...

– Comment cela ?

Là, Markus hésita un peu :

– Eh bien, je vends deux sortes d'AzTc... L'un respecte totalement la formule d'origine, l'autre est... comment dire... Le produit est emballé en multidoses, du coup il est nécessaire d'y ajouter des conservateurs.

– Quel type de conservateurs ?

– Oh ! des adjuvants sans importance...

Le sourire ravageur de Markus s'était éteint comme une ampoule grillée. La voix de Trash claqua :

– Quels adjuvants ?

– Principalement du Thiomersal... Mais je te jure, s'écria-t-il en levant la main dans un geste inconscient de défense, que c'était déjà la formule d'origine pour les produits en multidoses.

– C'est quoi du Thiomersal ?

– C'est un dérivé du mercure, un métal lourd... avoua-t-il à regret.

– Donc, au lieu de fournir un médicament sans adjuvant à ton client, tu lui as refilé un truc avec du poison dedans ?

Trash s'était ramassée, prête à bondir. Markus eut un mouvement de recul devant le visage menaçant de la jeune femme.

– Mais on se sert de ce truc depuis deux siècles ! Ça empêche les bactéries de se développer dans le médoc ! Normalement, c'est inoffensif...

– Normalement ? Et la fille du ministre, que lui est-il arrivé ?

Markus contemplait ses mains.

– Elle a développé un genre de leucémie foudroyante, elle est morte très vite...

Il releva la tête.

– Mais bordel, rien ne dit que c'est à cause du médoc ! Ce n'est pas de ma faute !

– Apparemment, le ministre n'était pas de ton avis, laissa tomber Trash d'une voix plate.

– Il m'a tendu un piège et refilé à ses potes de l'Intérieur... (Sa voix trembla brièvement.) Tu sais, la résistance à la torture, c'est très surfait, je n'y ai jamais cru...

Markus secoua la tête avec amertume. Trash le scruta quelques secondes. La mort de la fille, il s'en foutait ; en revanche, s'être conduit comme un lâche aussi facilement en vendant ses combines et son gang, ça, ça ne passait pas. Elle décida d'en rajouter une couche :

– Tu sais pourquoi ils nous ont tous coincés, en fait ?

Markus la contempla avec attention :

– Se débarrasser des bandes une bonne fois pour toutes et nous envoyer aux Grandes Serres, évidemment !

Trash le regarda avec un mépris mêlé de pitié.

– Non, c'est pas ça ? s'inquiéta Markus. Rien qu'à voir ta tête, je me doute que c'est pas pour ça... Alors ?

Elle lui asséna les faits. Tout ce que Casteret leur avait appris. En quelques phrases brèves et sèches. Au fur et à mesure de son récit, Markus pâlissait.

– Dire que je croyais être une ordure !...

La jeune femme se redressa, lui fit signe de se relever et, d'une tape sur l'épaule, elle conclut :

– Oh ! mais rassure-toi, tu es une ordure, mon pote ! Seulement, tu n'as pas les moyens de l'être industriellement !

Markus sourit et s'inclina pour recevoir l'insulte comme un compliment.

– N'empêche que tu as un plan, reine des Clochards, je suis sûr que tu as un plan ! Tu t'es pas fait choper comme les autres connards, j'ai reconnu ton lieutenant déguisé en flic dans les tribunes ! dit-il en désignant les gradins.

Les Tramps ahuris cherchèrent dans la direction indiquée et localisèrent Junk sous sa casquette de Bleu. Lui et Casteret étaient en train de se rapprocher insensiblement de la pelouse. Un frisson de joie parcourut les gangboys. Non seulement on n'avait pas attrapé la Chef, mais en plus elle allait les sortir de là !

– Tu as toujours un plan ! reprit Markus, tout content de son effet. C'est ce qui me plaît chez toi.

– C'est parce que je te plais que j'ai eu droit à des doses au mercure ? Parce que c'est le cas, n'est-ce pas ? répliqua-t-elle froidement.

– Bah, t'es en super-forme, non ? Alors, ce plan ?

L'ancien chef de la mafia parisienne arborait à nouveau son sourire éclatant. Shabby, qui s'était tournée à ce moment-là pour mieux écouter la conversation, en fut totalement déstabilisée. Il lui adressa un clin d'œil impudent. Elle se retourna aussitôt, les joues couleur de pivoine. Worm lui fit les gros yeux : elle les avait bien fichus dans la panade en se laissant draguer, cette idiote !

– Qu'est-ce qui te dit que tu en fais partie ? rétorqua Trash d'un ton doucereux. Pour l'instant, je n'ai que des raisons supplémentaires de te saigner.

– Je ne sais pas ce que tu as prévu, répondit-il sur le même ton, mais ce dont je suis sûr, c'est que tu vas avoir besoin de moi. Je connais les sous-sols de Paris comme ma poche, et certains check points un peu faiblards par où on pourrait passer ; contre pot-de-vin, évidemment. Faisons un marché : tu me fais quitter ce trou à rats et je t'aide à sortir de la Bulle.

Trash le contempla attentivement :

– Si tu me fais la moindre entourloupe, Markus...

– Tu me saigneras, OK ! Ça veut dire « marché conclu », ta Majesté ?

Et il se fendit d'une extravagante révérence.

– Ça veut dire que, pour l'instant, tu es encore en vie... Pour le reste, on verra.

CHAPITRE 17

Wresh en tête, le petit groupe avançait en redoublant de précautions depuis qu'il avait franchi la porte blindée. Les gamins se trouvaient maintenant dans les sous-sols du stade Charléty, au tout dernier niveau des anciens parkings abandonnés. Une vieille odeur d'hydrocarbure et de poussière les prenait à la gorge, et ils se retenaient de tousser car, ici aussi, une patrouille pouvait surgir à n'importe quel moment. Curieusement, les néons du niveau fonctionnaient tous à plein régime. L'éclairage dépendait sans doute des mêmes circuits que ceux des étages supérieurs et personne n'avait dû s'aviser de ce gaspillage d'énergie. La peinture jaune des parois reflétait violemment la lumière. Seize s'accrochait à Mud : la jeune empathe était à nouveau complètement aveugle.

– Où est cette putain de porte? grogna Wresh. Elle devrait être juste là, d'après le plan!

Elle désigna le mur d'en face, à une trentaine de mètres du groupe.

– On cherche quel genre de porte? demanda Louis.

– Une où il y a écrit *Soufflerie/Chauffage*.

– On peut pas rester comme ça, on est à découvert! Tu es sûre qu'elle est à ce niveau? dit Spent, dont le regard inquiet faisait le tour de l'immense sous-sol désert.

Il n'y avait aucune porte en vue, seulement les rampes d'accès aux parkings supérieurs et, plus haut encore, les tribunes. Les piliers étaient à peine suffisants pour dissimuler un gamin. Si une patrouille débarquait, elle n'aurait qu'à les tirer comme des lapins.

– Voir mur, exigea Seize.

– Quoi?

Mud intervint:

– Elle veut qu'on se rapproche du mur où t'as dit que la porte devait se trouver.

– Ça servira à quoi? Et puis, va falloir traverser tout cet espace désert!

– T'as une meilleure idée? laissa tomber Spent.

Wresh s'écrasa et leur fit signe d'avancer pour ne pas perdre la face.

***

Markus plissa le front.

– C'est un bon plan, mais tu es consciente que les Bleus vont se mettre à tirer tout de suite?

Trash haussa les épaules:

– Le temps qu'ils réalisent ce qui se passe, la plupart des gangboys seront déjà en train de fuir par les décombres. Les Bleus seront trop occupés de ce côté pour regarder du nôtre...

Il eut un rire bref:

– Le problème, c'est qu'il va leur falloir aussi un certain temps, aux gangboys, pour comprendre et penser à se casser!!

– Tu as raison! Il faudrait trouver un moyen de les avertir. Qu'ils se tiennent prêts!

– Algorithme, arborescence, intervint mystérieusement Shift, laconique comme à son habitude.

– Quoi? fit Trash d'un ton nerveux.

Le visage de Markus s'éclaira:

– Bien sûr! Dis à chacun de tes hommes d'appeler un gangboy, de lui expliquer ce qui va se passer, puis de l'envoyer informer au moins cinq autres mecs qui feront pareil. La nouvelle devrait se répandre dans le stade en moins de dix minutes!

Trash fronça les sourcils, évidemment! Ils avaient raison tous les deux. Elle s'en voulut de ne pas y avoir pensé toute seule.

– Shabby, Crap, Mess, Worm, Shift... On fait comme Markus a dit.

Les Tramps, qui n'en avaient pas perdu une miette, hochèrent la tête. L'enthousiasme bouillonnait dans leurs veines. Shabby, qui sentait qu'elle devait se faire pardonner de s'être fait manipuler par ce charmeur de Markus, ne perdit pas de temps. Elle fit son sourire le plus aguicheur au type en face d'elle. Celui-ci, un peu surpris, s'approcha, une expression méfiante sur le visage. Cette expression s'accentua dès les premiers mots de Shabby. Il s'éloigna, l'air dubitatif, resta rêveur quelques secondes puis se décida. On ne renonce pas facilement à l'espoir ; alors, malgré ses doutes évidents, il aborda un de ses voisins.

La consigne fit le tour du stade en moins de dix minutes.

***

– Merde, on va pas la trouver ! grogna Mud en secouant la tête, découragé.

Ils venaient d'examiner le mur jaune quasiment centimètre carré par centimètre carré. Rien.

– T'es sûre que la porte était à ce niveau ? répéta Spent pour la centième fois.

– Peut-être que Trash est tombée sur un plan trop vieux ? suggéra Louis timidement avant que Wresh ne s'énerve. Après tout, le système de chauffage n'est plus utilisé depuis la construction du dôme...

– Et alors ? Z'ont pas comblé les pièces pour autant ? grinça Wresh, à deux doigts de piquer une crise.

– Trop lumière, besoin noir, gémit Seize.

Wresh fit volte-face :

– Ouais, ben on s'occupera de ton confort plus tard, *Sickteen* ! On a autre chose à foutre !

– Je crois que ce n'est pas ça le problème, intervint calmement Louis. (Puis, s'adressant à Seize :) Tu veux qu'on neutralise combien de néons ?

Seize pencha la tête de côté :

– Quatre, cinq ? Possible sans avertir patrouilles ?

Mud n'attendit pas la réponse de Wresh, il prit son Tazze dans sa poche, ajusta le plafonnier le plus proche et tira sans réfléchir. Le résultat fut spectaculaire : les fléchettes électriques se plantèrent dans le tube brillant qui explosa, faisant pleuvoir des centaines de minuscules éclats de verre sur les Tramps. Une gerbe d'étincelles fusa du plafonnier détruit et se propagea le long des rampes lumineuses. Les gosses incrédules contemplèrent les néons du parking qui explosaient sourdement les uns après les autres. Quelques secondes plus tard, l'obscurité était presque totale, seules quelques veilleuses autonomes ayant survécu au cataclysme. On n'y voyait pratiquement plus rien.

– Fachte ! souffla Spent. Ça, c'était du court-circuit ! T'avais prévu ça ?

Et Wresh intervint en même temps :

– Non, mais t'es malade ! Tu veux attirer tous les Bleus du stade ?

– Je savais pas... murmura Mud, penaud.

Une petite main tapota son avant-bras pour le réconforter :

– Pas grave, moi avoir trouvé porte, annonça Seize.

Elle les mena un mètre à peine plus loin et pointa le doigt sur la paroi apparemment lisse :

– Là. Porte. Repeindre dessus, directement, plusieurs fois. Je voir petite dépression sous peinture.

Wresh, toute colère envolée, tâtonna fébrilement à l'endroit désigné. Il y avait bien une rainure, mais si fine que les violentes lueurs jaunes des néons sur les épaisses couches de peinture monochrome la leur avaient masquée. Seize, avec sa vision nocturne, sensible aux volumes, ne s'y était pas trompée.

– Ouais ! Elle est là ! Repasse-moi ton couteau, Spent !

Celui-ci grogna mais obéit sans discuter. Wresh appuya la lame le long de l'encoche et l'enfonça. Le couteau traversa la peinture. La jeune fille fit ainsi le tour du panneau d'acier jusqu'à ce qu'il soit complètement dégagé, puis elle tâtonna pour trouver la clenche.

– Bon, c'est une serrure simple, on devrait pouvoir...

Elle pesa sur la clenche d'un geste sûr. Il y eut un claquement sec : le couteau tomba, sectionné à la hauteur du manche ; mais la porte s'ouvrit avec un grincement épouvantable qui masqua le torrent d'injures dont Spent abreuva Wresh.

– OK, t'énerve pas, fit-elle, trop contente d'avoir réussi si facilement. Je t'en offrirai un autre !

Spent inspira profondément ; comme d'habitude, Wresh ne comprenait rien :

– C'était le couteau de mon père... dit-il seulement, dans un effort pour se contenir.

Mud ramassa les morceaux et examina l'objet :

– On pourra peut-être remplacer la lame.

Les larmes aux yeux, Spent secoua la tête :

– Et le manche aussi pendant qu'on y est ? Laisse tomber !

Toutefois, il tendit la main pour récupérer les deux tronçons et les enfouit farouchement dans sa poche. Il resta immobile un instant, tandis que les autres franchissaient le seuil. Au passage, Seize le gratifia d'une de ces petites tapes dont elle avait le secret et qui apaisaient ceux qu'elle touchait. Spent redressa les épaules sous l'onde de douceur qui le traversa et se décida à suivre ses camarades. Mais ses yeux restaient brillants et il évitait de croiser ceux de Wresh.

Ils pénétrèrent dans une petite pièce ronde, refermèrent précipitamment la porte et se retrouvèrent dans l'obscurité.

– Si les Bleus viennent, dans le noir du parking, ils verront pas qu'on est rentrés là-dedans, fit Mud, autant pour se rassurer lui-même que les autres.

– Regarde plutôt si t'as pas aussi fait sauter la lumière dans ce trou ! ordonna sèchement Wresh.

Mud tâtonna des deux côtés de la porte refermée, à la recherche d'un interrupteur. Il tomba dessus presque tout de suite. Un plafonnier couvert de chiures de mouches et de saletés s'alluma, dispensant une lueur blafarde. Du regard, Wresh fit le tour de la pièce. Un tableau de commandes abandonné depuis cinquante ans au moins occupait la majeure partie du local. Réchauffer le stade l'hiver était devenu inutile, en fait; avec le dôme de plexyor, toutes les rencontres se déroulaient au sec et au chaud. Jusqu'à ce qu'on abandonne aussi les rencontres sportives et le stade lui-même.

– OK, l'arrivée des tubes d'air chaud est là! dit Wresh en désignant une ouverture ronde d'un mètre de diamètre, protégée par un grillage fin au bas du mur.

Elle se pencha et fouilla dans son sac pour en retirer les deux blocs de C8 que lui avait concédés Junk à regret au moment de la séparation. Elle regarda ses camarades. À qui allait-elle confier les détonateurs?

À Sickteen, c'est pas possible, elle saurait pas reconnaître son pied du détonateur. Ni à Louis, songea-t-elle.

Restaient Spent et Mud. Le gros ne serait pas à l'aise dans les conduits, et Mud était encore un gosse. Wresh soupira et posa un bloc de C8 dans la main du rouquin en ordonnant:

– Bon, Mud, tu vas aller déposer ça à l'endroit prévu. La minuterie du détonateur est réglée mais n'oublie pas de sortir la goupille, sinon ça déclenchera pas le compte à rebours. Tu as sept minutes pour revenir ici, d'accord?

Mud acquiesça, contemplant l'explosif dans sa paume d'un air incertain.

– Et l'autre bloc? demanda Louis.

– Je m'en charge, puis j'irai déverrouiller la trappe du stade! rétorqua-t-elle en se penchant pour arracher la grille qui les séparait du labyrinthe des tuyaux.

***

– Je crois que je l'ai trouvé, s'exclama Shift de sa voix douce.

– OK, dit Shabby dans son dos. On va prévenir Trash, elle n'est pas loin.

La jeune fille fit signe à son frère et Crap qui farfouillaient un peu plus loin. Ils acquiescèrent et la rejoignirent.

– Ça y est? demanda Worm.

– Ouais, Shift l'a déniché sous une plaque de fonte derrière l'en-but.

Worm hocha la tête. La petite bande rejoignit la Chef. À ses côtés, Markus arborait un grand sourire détendu, mais ses mains tremblaient. Worm sourit *in petto*, il n'en menait pas large, le grand manitou, à l'idée d'être reconnu par ceux qu'il avait trahis.

– On l'a, Chef! dit Worm fièrement.

Crap intervint:

– Eh, la ramène pas! C'est mon frère qui l'a trouvé!

Trash sourit. Cependant, elle grommela:

– Calmez-vous, les gniards, c'est pas une compétition. C'est de notre peau qu'il s'agit.

– C'est pas toujours le cas ? fit Worm dans un sourire impudent.

Trash leva un sourcil.

– Si, dit-elle seulement.

Markus contemplait cet échange d'un air songeur. Trash, cette tueuse redoutable, avait d'étranges relations avec ses gangboys. Ils ne la servaient pas, en fait ! Voilà, il avait mis le doigt dessus ! C'était elle qui se chargeait d'eux. En revanche, il ne comprenait pas pourquoi c'était ainsi. La réponse, évidente, restait hors de sa portée.

Il contempla le dos tendu de la jeune femme. Markus avait eu beaucoup de filles dans sa vie ; pas une d'entre elles ne l'avait intéressé assez pour qu'il s'interroge à son propos, mais Trash, c'était différent. Elle à ses côtés, il aurait pu régner sur toute la banlieue, en plus de la Bulle ! Il l'aurait couverte de bijoux... Trash se retourna à ce moment-là, elle le traversa du regard pour vérifier si ses gangboys arrivaient. Markus suivit la prunelle de glace et se reprit : non, pas de bijoux, finalement, plutôt des armes. Des armes superbes, mortelles, comme elle.

Il pressa le pas pour ne pas se faire distancer. Pourvu que personne ne s'avise de son identité ! Markus serra les dents. Bordel, mais qu'est-ce qu'ils croyaient ? Qu'on pouvait résister aux Bleus comme ça ? Le souvenir de ce qu'il avait vécu aux mains des flics dans les caves du ministère de l'Intérieur lui revint comme une gifle d'eau gelée. Il frissonna et repoussa résolument les visions horribles.

Pour se changer les idées, il adressa un sourire charmeur à sa voisine, la grande blonde. Il eut le plaisir de la voir rougir violemment avant de détourner la tête, furieuse.

Ils étaient arrivés à l'endroit découvert par Shift. Trash se pencha et, l'air de rien, elle y donna un coup de talon : un bruit métallique se fit entendre, lui arrachant un sourire satisfait. Elle fit tourner son bracelet ID et pianota le code prévu à l'intention de Louis qui devait se trouver au-dessous.

Pas de réponse.

– Merde ! Qu'est-ce qu'ils foutent ?

Les Tramps échangèrent des regards affolés.

***

Cela faisait trois minutes que Wresh et Mud avaient disparu dans les tuyaux. Spent, Seize et Louis attendaient en silence dans le local de maintenance de la soufflerie. Pour se distraire, ils examinaient les panneaux de contrôle poussiéreux dont la pièce était remplie. Des jauges ternies et des manettes collantes hérissaient les murs. Spent haussa les épaules et soupira. Seize avait fermé les yeux et semblait très loin d'eux. Soudain, elle commença à hululer en sourdine, les faisant tous les deux sursauter. Ils échangèrent un regard entendu.

La voilà encore à faire ses « trucs de sorcière », pensa Spent, que les talents de la jeune fille mettaient mal à l'aise depuis le début. Les petites mains de Seize se tendirent alors pour saisir les bras des garçons, et une vision s'imposa à leurs esprits.

C'était très étrange. Louis se contenta d'inspirer profondément sous le choc, mais Spent rompit le contact intrusif en hoquetant. Seize réassura sa prise sur lui, émettant toujours ce son chuintant et agaçant qui lui permettait, semblait-il, d'employer son don à distance. La vision revint. Ils *étaient* Mud, ils *étaient* Wresh et ils voyaient ensemble par leurs yeux.

Le grand garçon roux rampait dans le boyau étroit avec difficulté. Le sang battait furieusement à ses tempes, il essayait de contrôler sa panique. Wresh, elle, se coulait avec une détermination féroce dans son propre conduit. Les deux jeunes Tramps progressaient lentement vers leurs objectifs : deux coudes situés chacun à l'opposé l'un de l'autre sous les tribunes. Dans ces deux endroits, l'ancien système de chauffage par air pulsé passait presque *dans* les murs mêmes du stade. Le meilleur endroit pour placer une charge explosive.

Wresh colla son bloc de C8 sur la face supérieure du tuyau, connecta le détonateur avant d'ôter la goupille de sécurité et repartit à reculons. Parvenue à un embranchement, elle bifurqua sur la gauche.

– Qu'est-ce qu'elle fait? grommela Spent dans la pièce de maintenance. Elle revient pas?

Louis ouvrit des yeux étonnés :

– Elle va sous l'en-but déverrouiller la trappe pour les autres... Tu n'as pas écouté? Bon, j'attends le retour de Mud et je les préviens, là-haut.

Seize pressa plus fort les bras des deux garçons. Leurs trois esprits ne firent qu'un pour se retrouver dans la tête de Mud, cette fois. Au contraire de Spent, dont les réticences étaient perceptibles, Louis ne se défendait pas, il se laissait aller à la merveilleuse sensation avec un sourire extatique. C'était vraiment extraordinaire de sentir ce que sentait Mud, de percevoir à la fois ce qu'il était: sa gentillesse et sa force, et aussi la peur qui nouait son ventre tandis qu'il faisait demi-tour après avoir placé sa charge.

Soudain, Spent interrompit le contact et s'écria d'une voix angoissée:

– Bonne Mère, il a déconné!

– Pourquoi? s'inquiéta Seize, sortant de sa transe.

– La goupille... Mud l'a pas bien sortie de son logement, il faut qu'il y retourne! Tu peux pas...?

Elle secoua la tête d'un air désolé:

– Recevoir, oui je peux. Émettre à distance, pas possible.

Il y eut un silence consterné.

– D'accord, lâcha Spent au bout d'un moment.

Il fouilla dans ses poches et tendit les deux morceaux de son couteau à Louis:

– Tiens, ça va me gêner quand je vais me traîner dans ce foutu tuyau...

– Qu'est-ce que tu...?

– Faut bien que quelqu'un aille prévenir Mud, non?

Et il s'insinua non sans mal dans la conduite. Deux minutes plus tard, Wresh surgit par l'ouverture. Il ne lui fallut qu'un regard pour constater l'absence de Spent et, surtout, celle de Mud.

– Où sont-ils? fit-elle d'une voix tendue.

***

Spent rampait aussi vite qu'il pouvait mais sa corpulence le ralentissait, notamment dans les coudes à angle droit où il craignait chaque fois de rester bloqué. Que faisait-il dans cette galère? Après tout, si une seule charge éclatait, ça suffirait amplement! Mais il savait bien que non, Trash avait été claire: il fallait distraire l'attention des Bleus au maximum. Sinon, on risquait de perdre des Tramps. Il soupira. La Chef était parvenue à enseigner la solidarité au gang.

Même à lui!

Et pourtant, ça n'était pas gagné, songea-t-il.

L'image des ruines sordides de Marseille où il avait grandi s'imposa à lui. Il grimaça. Ce n'était pas là qu'il avait appris la solidarité en tout cas! La Bulle marseillaise avait été détruite en même temps que toutes les autres Bulles du littoral méditerranéen lors du Big One. Le grand tremblement de terre qu'on craignait depuis des siècles avait ravagé les côtes. Des milliers d'Euraz s'étaient retrouvés sans rien. Et aucune des cités de la

Fédération ne s'était préoccupée de sauver les ressortissants marseillais ou des Bulles voisines.

Spent et ses parents avaient fui vers Paris. Ces derniers étaient morts lors d'une escarmouche entre survivants. Quand les Tramps l'avaient recueilli, il était devenu un vrai sauvage. Muet et farouche, il frappait tous ceux qui l'approchaient. Trash avait mis des semaines à l'apprivoiser. C'était littéralement le mot. Elle venait lui porter à manger sans s'approcher et se contentait de lui parler. Jusqu'à ce qu'un jour, enfin, il articule un vague « merci ». Et depuis il était devenu l'agréable compagnon dont l'accent rigolo faisait rire toute la Poubelle.

Je lui dois bien ça, maintenant qu'elle s'est piégée là-haut pour faire évader les autres, se dit-il.

Il y eut un bruit devant lui, il tendit la main juste avant que le front de Mud ne heurte le sien dans le noir.

– Fachte !

– Merde !

Les deux garçons avaient juré en même temps.

– Qu'est-ce que tu fous là ? demanda Mud sidéré.

– T'as mal réglé ta charge, faut y retourner !

– Qu'est-ce que t'en sais ? Et puis celle de Wresh va sauter dans cinq minutes, même pas ! On va pas avoir le temps de revenir ! L'onde de choc nous tuera si on est encore dans les tuyaux à ce moment-là.

– Faut essayer ! dit brutalement Spent dont le ton avait perdu toute trace d'accent. Toi, tu recules jusqu'au prochain embranchement pour me laisser passer, puis tu rejoins vite les autres !

C'était un ordre, Mud opina sans mot dire. Affolé et honteux, il n'en saisit pas les implications, mais obéit. Ils parvinrent enfin à un croisement où il put se glisser dans un conduit perpendiculaire tandis que Spent continuait vers les explosifs.

Mud le laissa le dépasser, puis prit le chemin du retour. Il avançait, haletant et remerciant presque le ciel d'être en sueur : il avait l'impression de mieux se faufiler dans les tuyaux. Enfin, il aperçut la trouée lumineuse donnant sur le local de maintenance, il s'y laissa tomber avec soulagement.

– Spent est derrière toi ? demanda Wresh.

Mud secoua la tête négativement.

Il ouvrit la bouche pour poser une question, il n'en eut pas le temps. La première charge fit trembler tout le bâtiment, des morceaux de plâtre tombèrent sur leurs têtes et l'onde de choc les projeta les uns sur les autres. Ils se redressèrent mais n'avaient pas repris leur souffle que la seconde explosait à son tour et les projetait à nouveau à terre. Seize arrêta brusquement de gémir, son visage, déjà naturellement pâle, perdit toute couleur, elle s'évanouit sans un soupir.

– Qu'est-ce qu'elle a ? Et Spent ? fit Mud d'un ton pitoyable.

Les deux autres détournèrent le regard sans lui répondre, Louis aida Wresh à adosser Seize à une paroi, puis se précipita sur le sac de la jeune fille pour y prendre de l'eau. Wresh en aspergea le petit visage blême jusqu'à ce que la jeune empathe reprenne conscience.

Le grand roux laissa tomber sa tête sur ses genoux osseux :

– C'est ma faute, hein? gémit-il, atterré.

Seize était incapable de répondre, la mort de Spent l'avait atteinte de plein fouet. Wresh et Louis eurent l'humanité de continuer à se taire. Louis fouilla ses poches et tendit le cran d'arrêt cassé à Mud. Ce dernier releva la tête, il fit jouer les reflets du néon sur la lame brisée, une boule de culpabilité se formait dans sa gorge, l'empêchant presque de respirer. Il empocha le couteau, les dents serrées sur un chagrin énorme qui restait coincé en lui. Wresh, elle, éclata en sanglots dans les bras de Louis, qui, très gêné, ne savait comment la tenir contre lui et lui tapotait maladroitement les épaules.

CHAPITRE

18

Les entrailles du stade rugirent. Le grondement fut si formidable que les gangboys crurent devenir sourds. Une demi-seconde plus tard, des blocs de béton jaillirent dans des gerbes de flammes, des fragments de poutrelles furent projetés dans tous les sens. Comme des pans de tissu qu'on déchire, les murs d'enceinte nord et sud s'ouvrirent avec lenteur. Aux deux endroits de l'explosion, poutres et parois glissaient dans les cratères qui s'étaient formés. Le sol trembla avec violence et tous s'abattirent comme si on les avait fauchés à la Kalach.

Les tribunes encore debout vacillaient par saccades, balayant les Bleus, avant de s'effondrer partiellement sur elles-mêmes. Casteret et Junk, que le choc avait envoyés valdinguer sur les gradins, échangèrent un regard.

Junk jeta un coup d'œil interrogateur à Casteret qui lui répondit du menton. Il était prêt.

Les deux hommes descendirent en courant vers le terrain. Alentour, les Bleus se relevaient tant bien que mal en hurlant des ordres contradictoires ou poussant des exclamations effarées. Mais Junk et Casteret n'en avaient cure, ils filaient, l'arme au poing, vers l'en-but où Trash et les autres étaient regroupés. Les trois cents prisonniers hurlèrent des vivats avant de se précipiter dans les brèches du mur d'enceinte dont ils escaladèrent les décombres branlants.

Les Bleus réagirent avec un temps de retard qui fut suffisant pour permettre à de nombreux gosses de s'évader. Quand ils commencèrent à tirer, une bonne moitié d'entre eux s'étaient déjà enfuis vers la liberté et s'égaillaient, volée de moineaux dans les rues de Paris.

Pendant ce temps, profitant de la panique, Trash et les Tramps avaient dégagé l'ouverture de la prise d'air sous l'en-but, celle que Wresh avait déverrouillée après avoir posé sa propre charge. Ils firent basculer la lourde plaque de fonte qui dévoila un puits étroit et profond plongeant droit dans les profondeurs du stade. Markus et les Tramps s'y laissèrent glisser à toute vitesse, ralentissant à peine leur chute des coudes et des genoux. Junk et Casteret arrivèrent au moment où Worm, le dernier, se laissait tomber à son tour.

Junk observa le trou du regard, puis Casteret, l'air dubitatif. Le Second des Tramps avait à peu près la place de passer mais le gros homme, ce n'était pas sûr du tout. Si le goulot s'étranglait à un moment, le journaliste resterait coincé.

Casteret hocha la tête :

– Allez-y le premier ! S'il se passait quelque chose, je ne vous bloquerai pas.

Il a du cran, ce vieil Euraz, songea Junk qui sourit à son interlocuteur :

– Je vous laisserai pas tomber, mec, on y va !

Il s'insinua dans le boyau, Casteret hésita. Mais une balle sifflant à ses pieds lui rappela qu'il n'avait pas le choix : les Bleus venaient de se rendre compte que les brèches ouvertes dans l'enceinte du stade n'étaient pas les seules issues et que ces deux Bleus, là-bas, avaient un comportement étrange.

Au moins, je ne risque pas de me casser quelque chose, pensa ironiquement le journaliste en s'insinuant dans le conduit.

Le pauvre homme était obligé de se contorsionner pour descendre. Il étouffait, serré au maximum dans le tuyau trop étroit pour lui. Il avait beau rentrer le ventre, ça coinçait au niveau des épaules. Il gardait les bras en l'air et poussait autant qu'il pouvait avec ses mains sur les parois. Son cœur battait la chamade, il était en nage. Il progressait trop lentement. Une ombre au-dessus de lui l'alerta. Il leva la tête, une silhouette s'encadra dans le trou et épaula son fusil.

Bon Dieu, je ne vais même pas avoir le temps d'aller crever en bas !

Il lui semblait voir le doigt du Bleu se crisper sur la détente de son arme. Au dernier moment, une forte traction s'exerça sur ses pieds, il ripa d'un coup dans le boyau devenu plus large et qui faisait un coude. On le tira à nouveau sur le côté. La balle ricocha avec un bruit d'enfer à quelques centimètres de sa carcasse.

– Merci ! dit-il à Junk.

– De rien, mais on n'est pas encore tirés d'affaire, grinça sombrement le Second des Tramps. Passez devant, faut fermer ce conduit avant que les Bleus aient l'idée d'y entrer !

Le gros homme hocha la tête et réussit péniblement à dépasser Junk. Ce dernier posa la charge, régla l'horloge du détonateur et dégoupilla la sécurité. Rampant à toute allure, il rejoignit Casteret.

– On a cinq minutes pour sortir du système de soufflerie ! Grouillez !

Casteret ahana, se déhancha, gigota, comprenant que c'était une question de vie ou de mort. Mais même si la conduite était plus large que le puits, le résultat n'était guère probant, malgré les jurons d'encouragement de Junk.

Soudain une petite voix se fit entendre sur la gauche :

– Junk, c'est toi ?

– Non, c'est le Maire de Paris ! Worm ! Qu'est-ce que tu

fous encore là? fit Junk sans cesser de ramper en poussant Casteret devant lui.

– Je cueille des champignons, rétorqua insolemment le môme. Non, t'énerve pas, c'est Trash qui m'envoie, elle s'est doutée que tu aurais des problèmes avec le gr... avec Casteret. Et comme on a trouvé *ça* dans le local...

Il glissa un filin orange dans les mains du journaliste. Worm repartit en arrière aussi vite que possible. Il courait presque autant qu'il rampait, il avait la place, lui. Casteret serra nerveusement l'extrémité du filin qu'on venait de lui donner.

– Junk? Le gosse m'a donné une corde, souffla-t-il, ahuri. J'en fais quoi?

– Je m'accroche à votre pied et, surtout, vous ne lâchez pas cette putain de corde, Casteret!

– Quoi?

– Faites ce que je vous dis!

Abasourdi, le gros homme obéit. Il n'eut pas plus tôt entouré la corde autour de ses phalanges qu'une forte traction se fit sentir. On les traîna sur deux mètres en une seconde, puis le mouvement s'interrompit.

– Attention, ça va tirer à nouveau! prévint Junk.

Une nouvelle traction, une autre encore, et encore une autre, enfin les deux hommes débouchèrent dans le petit local surpeuplé. Les deux hommes s'écartèrent aussitôt de l'ouverture tandis que Mess et Louis faisaient glisser en hâte devant elle un lourd bureau. Il y eut un bruit assourdissant, suivi d'une violente onde de choc qui repoussa le meuble sur une cinquantaine de centimètres.

Le regard de Junk fit le tour de la pièce. Il avisa Markus et fronça les sourcils, mais ne fit aucun commentaire. Puis il compta ses troupes.

– Où est Spent?

Seul le silence lui répondit, mais Junk comprit immédiatement. Il pinça les lèvres et dit à Trash:

– Comment?

– Les premières explosions.

– Un bon gosse, non?

– Oui, il nous manquera, répondit-elle doucement.

Ce fut toute l'oraison funèbre de celui qui avait donné sa vie pour la bande.

Pourtant, sur les visages dignes et tristes des Tramps qui défilaient un par un devant lui avant de se glisser dans le parking, Casteret lut à quel point les gangboys accordaient de valeur à ces simples mots. Seul Mud n'arrivait pas à retenir ses larmes...

Les Tramps filaient droit vers la Seine, le long de la Bièvre. Mud les guidait. Après, ce serait à Trash de retrouver l'embranchement qui menait vers leur itinéraire de sortie habituel.

Seize avait récupéré Junk et s'accrochait à lui comme à une bouée. La jeune fille maintenait le contact, même quand l'obscurité relative lui aurait permis de marcher seule. La mort du gentil garçon aux cheveux bizarrement coiffés l'avait secouée. Avec les Tramps, c'était la première fois de sa vie qu'elle *partageait*. Cela rendait encore plus violente et douloureuse la souffrance de sentir la mort de quelqu'un qu'on avait connu, si peu que ce soit.

Le regard glacé de Trash ne quittait pas le couple. Worm, qui marchait derrière eux, frissonna et se rapprocha de Mud au tout début de la file.

– Ça va, toi?

Mud acquiesça avec lenteur. Il arborait une dureté et une tristesse nouvelles dans le regard. Il n'était plus le jeune gars timide et effrayé qui avait quitté la Poubelle, deux jours plus tôt. La mort de Spent, dont il se sentait responsable, l'avait fait entrer avec brutalité dans le monde des adultes. Worm soupira. Il avait bien aimé servir de protecteur pour une fois. Au moins, ce grand-là le prendrait dorénavant au sérieux. Ce serait le premier.

Ils longeaient toujours le cours enterré de la rivière. Mud prit un embranchement sur la gauche, un long couloir étroit qui descendait faiblement sur plusieurs centaines de mètres. Il se pencha vers Worm:

– Va dire à la Chef qu'on approche de la station de métro Saint-Michel. Après, moi, je ne connais plus les lieux.

Worm acquiesça et descendit la file jusqu'à Markus et Trash qui fermaient la marche.

– Je comprends fort bien, disait Markus. Tu as peur que le loup entre dans la bergerie, c'est ça?

Trash rit avec une telle indifférence que Worm frémit.

– Tu te trompes, je n'ai peur de rien et surtout pas que tu mettes la main sur mon gang. Tes méthodes pourries fonctionneraient peut-être avec mes gangboys, malgré ce que je leur ai appris... Après tout, on obéit quand on vous menace, n'est-ce pas, Markus ? Mais Junk te ferait la peau immédiatement.

– Alors ? Pourquoi tu veux pas m'accueillir quelque temps dans ton repaire, que je puisse me retourner ?

– C'est très simple : je ne veux pas que tu saches où on crèche. C'est assez clair ? Et je ne crois pas que le monde ait tant besoin que tu réussisses à te « retourner ».

Markus resta silencieux un moment, digérant l'information. Worm en profita pour annoncer :

– Chef, Mud dit qu'on arrive à Saint-Michel.

– Ah, parfait, je prends les choses en main...

Le gamin hocha brièvement la tête et s'en fut rejoindre son ami. Il entendit encore Markus dire :

– Et si vous me bandiez les yeux avant d'arriver à votre repaire ?

Le rire de Trash éclata comme un millier d'éclats de cristal gelé.

– Eh bien, mon cher, sache que tu serais mort avant d'y arriver ! Et arrête de te mettre à genoux, c'est *niet* ! En revanche, si tu te rends utile et que tu marches droit, je t'indiquerai un endroit où tu pourras te terrer un moment...

Le groupe déboucha sur la grande esplanade souterraine de la station abandonnée. Des escaliers plongeaient profondément en spirale dans le noir. Une bizarre odeur de brûlé flottait dans l'air. Comme si on avait fait cuire un steak en utilisant de l'essence.

Seize se mit à gémir sourdement.

– Qu'est-ce qui lui prend encore ? grinça férocement Trash.

Malgré le ton méprisant, elle ne prenait plus à la légère les malaises de Sickteen. Ils avaient trop souvent anticipé un danger. Soudain, Seize s'arracha aux mains de Junk et se roula en boule, gémissant toujours. Louis s'avança :

– Elle perçoit quelque chose...

– Mess ? Allume une torche, on n'y voit rien ! ordonna Trash d'un ton sec.

La jeune Asiate fouilla son sac et en tira deux torches qu'elle tendit à Shift et Crap. Deux traits de lumière trouèrent la pénombre.

Seize psalmodia :

– Encore vivant, encore vivant, encore vivant, mourir, oh Dieu, mourir enfin...

Des larmes commencèrent à rouler de ses yeux roses.

– Qu'est-ce qu'elle a ? demanda Junk, affolé. Mais qu'est-ce qu'elle a ?

– Elle sent quelqu'un qui meurt, je crois... supputa Shift.

– Ouais et pas assez vite à son avis, ajouta Crap d'un ton dégoûté.

– On file en vitesse, se décida Trash. Junk, tu la portes, il faut qu'on descende sur la voie. On doit aller au point de rendez-vous ! Ce n'est pas loin.

– Oui, intervint Wresh, Spoilt doit sûrement nous y attendre, puisqu'il n'était plus dans sa cachette !

La jeune fille essaya de dissimuler à quel point elle avait peur de ne pas y trouver son compagnon. Et si Spoilt avait été ramassé par les Bleus finalement ? Wresh sentit son ventre se nouer. Elle tremblait presque aussi fort que Seize. Elle emboîta tant bien que mal le pas aux autres tandis qu'ils entamaient la descente vers l'ancienne voie de métro oubliée.

Junk tenait Seize, en larmes, dans ses bras, sa tête nichée au creux de son épaule. Elle était aussi frêle qu'un roseau, aussi légère qu'une plume. De la tenir serrée ainsi contre lui, il ne put s'empêcher de se sentir grandi, fort et protecteur. Un sentiment que jamais Trash ne lui avait inspiré. Trash, il l'aimait et l'admirait. Pour elle, il aurait attaqué un empire. Seize était de celles pour lesquelles on avait envie de construire un abri.

Shift et Crap descendaient en éclaireurs, le pinceau lumineux de leurs lampes éclairait chichement les volutes poussiéreuses des escaliers délabrés dont le béton s'effritait.

– Ça sent vraiment mauvais par ici, remarqua Crap.

Son jumeau opina et ajouta :

– Gaffe à pas tomber, on arrive sur le premier palier.

La dernière fois, y avait de sacrés trous ! Z'ont pas dû se boucher depuis...

Shift acquiesça et sa lampe, au lieu de se balader un peu partout, se concentra sur les endroits où ils posaient les pieds.

Effectivement, de grandes brèches ouvraient leurs bouches d'ombre, ici et là. Le jeune métis se posta dans un coin pour éclairer le passage à l'intention de ceux qui les suivaient, tandis que Shift continuait à descendre. Le garçon se racla la gorge, l'odeur devenait *vraiment* de plus en plus prenante. Le mélange de chairs cuites et d'hydrocarbures consumés le perturbait.

Soudain, sa lampe accrocha une flaque sombre et huileuse répandue sur les dernières marches, qui se mit à luire sous le pinceau de lumière. Des fumerolles s'en échappaient, se fondant en filaments grotesques.

Shift retint un cri : au centre de la mare obscure gisait une forme recroquevillée.

– Chef ! fit le gosse d'une voix étranglée.

– Oui ? lui répondit Trash, un peu plus loin.

– Un cadavre !

Le gang se précipita. On entoura Shift, et les visages se pressèrent dans le cercle de lumière pour découvrir la scène atroce. Wresh porta la main à sa bouche, retenant à grand-peine une envie de vomir. Mud détourna les yeux, tandis que Trash se penchait et approchait ses doigts de la peau calcinée. Elle retira précipitamment sa main :

– Il est encore brûlant ! Les flammes ont dû s'éteindre il y a pas dix minutes.

– Pas mort, pas mort, pas encore, oh Seigneur ! gémit Seize sur l'épaule de Junk.

– Tu dis que ce type est toujours vivant ? fit Trash, sidérée.

Seize n'essaya pas de parler, elle se contenta de hocher la tête en geignant. Junk frémit. Une vague de douleur terrible venait de le traverser. Il se raidit et articula avec difficulté :

– Elle ressent son agonie... Moi aussi.

Trash le fixa un instant, puis murmura :

– OK. On va arranger ça.

Elle saisit sa tresse, se pencha ; le temps d'un soupir, le razor flamboya et s'abattit. Seize devint molle sur l'épaule de Junk. Elle s'était évanouie. Le razor ensanglanté réintégra son logement avant que quiconque ait pu prononcer un mot. Trash rencontra le regard effaré de Markus :

– Quoi ? dit-elle sèchement.

– Rien. Tu prends vite tes décisions, hein ?

Elle haussa les épaules :

– Je lui ai rendu service.

Markus hocha la tête tandis que la jeune femme se redressait.

– Avançons, dit-elle. Et faites gaffe, tous. Ceux qui l'ont cramé ne doivent pas être loin.

Ils débouchèrent sur les quais et n'avaient pas franchi trente mètres qu'une voix les héla du fond d'un tunnel.

– Hé, les mecs !

À cette voix, Wresh releva la tête, un espoir insensé illuminant son visage. Lorsque la silhouette de son ami apparut dans les pinceaux des lampes, elle s'écria :

– Spoilt !

Elle allait s'élancer quand la main de Louis se posa sur son avant-bras :

– Attends.

CHAPITRE
19

Wresh se dégagea d'un geste sec et courut se jeter dans les bras de Spoilt.

– Non ! cria Louis.

– Qu'est-ce qui te prend, Lou... demanda Trash.

Elle s'interrompit aussitôt, elle aussi avait repéré le danger.

Wresh ne leur prêtait aucune attention. Folle de joie, elle se coulait contre son compagnon, le nez sur son torse. Il la tenait contre lui et c'était tout ce qui comptait. Comme il la serrait fort ! Elle était si heureuse de l'avoir retrouvé !

Le silence de plomb qui s'était installé la força à sortir de son euphorie. Elle leva la tête vers le visage de Spoilt et s'aperçut qu'il ne la regardait pas. Au contraire, il fixait les Tramps d'un regard goguenard. Et derrière lui...

Une trentaine de jeunes gens surgissaient de l'obscurité. Ils étaient armés de M31 dernier cri, pointés vers le sol pour l'instant. Ils ne disaient rien. Leurs regards étaient durs et hautains. Leurs tenues impeccables, quoique manifestement destinées au combat, formaient un étonnant contraste avec les vêtements dépenaillés de la bande. Ils toisaient les gangboys avec un mépris insondable. Wresh se raidit dans les bras de Spoilt.

– Tutut, ma chérie, tu bouges pas, chuchota-t-il à son oreille.

Le « ma chérie » avait allumé une dernière étincelle d'espoir en Wresh, mais le regard indifférent de son compagnon l'éteignit aussitôt. Elle tenta de se dégager. Spoilt resserra sa prise sur elle et répéta, d'un ton tranchant cette fois :

– Bouge pas, je te dis !

– Spoilt... gémit-elle.

Il lui faisait mal. Elle s'immobilisa en le regardant. L'évidence lui crevait les yeux : il ne prêtait aucune attention à elle.

– C'est celle avec les cheveux rouges ? demanda l'un des jeunes gens en s'avançant au niveau de Spoilt.

Le Tramp se tourna vers son interlocuteur. C'était un grand blond aux cheveux presque aussi clairs que ceux de Seize ; le regard bleu pâle cerclé de lunettes métalliques brûlait d'un étrange feu froid, plus terrifiant que le vide qui se glissait parfois dans celui de Trash.

Spoilt déglutit et se contenta d'abord d'opiner.

– Oui, Daniel, finit-il par dire d'une voix étranglée.

Visiblement, le blond lui flanquait une sacrée trouille.

– Hé, toi ! fit Daniel en direction de Trash.

Celle-ci se contenta de l'observer en silence, mais sa main était déjà sur le fourreau du razor.

– On pourrait vous dégommer tous, tu piges ?

Trash hocha la tête lentement.

– En commençant par celle-ci, par exemple, continua Daniel en braquant le canon de son M31 contre la tempe de Wresh.

Wresh se débattit dans les bras de Spoilt, mais il la maintenait de force près du canon. Trash se mordit la lèvre, ôta ses doigts du manche du razor et fit signe qu'elle avait compris.

– Qu'est-ce que vous voulez ? brailla Junk.

– Nous nettoyons ce qui doit l'être, et ce brave garçon nous a signalé une infestation dans vos rangs, dit Daniel.

– Le type cramé dans l'escalier, c'est vous ? C'est ça que vous appelez du nettoyage ?

Daniel eut un mouvement d'impatience :

– Ce n'est pas à toi que je veux parler, mais à vous tous. Tramps ! C'est bien comme ça qu'on vous appelle ?

Le gang hocha la tête à contrecœur.

– La situation est très simple. Nous sommes des BloodKlans ! Vous savez ce que cela signifie ?

Le gang se garda bien de répondre. Pour tout dire, ce Daniel au regard mortel leur filait la trouille à eux aussi. Même les Bleus étaient plus chaleureux lorsqu'ils s'adressaient aux gens. Les Tramps se rendaient compte que leur existence même était une insulte pour ces jeunes si bien habillés qui n'avaient connu que le confort. Fou de rage, Worm s'avança et claironna :

– Oui, des trouducs qui foutent le feu aux gens parce qu'ils n'ont rien de mieux à faire ?

Daniel le considéra de toute sa hauteur, hésitant visiblement entre répondre et lui lâcher une rafale de M31. Il choisit de répondre :

– Je vois. Un petit malin qui croit encore plus malin d'obéir à un sac à virus en attendant qu'il lui morde le nez ! Tu ne veux pas entrer à la Mairie de la Bulle, gamin ? Tu y serais bien.

Ses hommes rirent servilement dans son dos.

– Nous sommes les BloodKlans, clama-t-il d'une voix forte et passionnée. Nous sommes les chevaliers de la Bulle. Notre Mission est d'éradiquer tous les porteurs de virus que le laxisme du Conseil Municipal laisse se promener en toute impunité ! Livrez-nous cette garce contaminée qui se fait passer pour votre Chef et vous pourrez retourner dans votre trou à rats...

– Et si on refuse ? crièrent Junk et Mud en chœur.

– Mes gars vous dégomment tous en moins de deux. Ah ! et on veut la chinetoque aussi...

– Hein ? intervint Trash. Mais Messy n'a pas le 4 !

– Ta gueule, sac à virus ! Ça n'a rien à voir, c'est pour un usage « temporaire ». Si elle se montre très gentille avec notre ami...

Daniel posa sa main sur l'épaule de Spoilt et commença à serrer. Spoilt grimaça de douleur.

– Les indics sont des salopards, continua le chef des BloodKlans, mais il faut les payer, n'est-ce pas? Bref, si votre crasseuse amie est bien sage, il se pourrait que nous la laissions repartir ensuite...

Il y eut un silence dans la bande.

– Sinon, vous nous butez tous? C'est ça? Ben, vous pouvez commencer par moi!

Hors de lui, Junk avait laissé glisser Seize à terre et fait un pas en avant, sa Kalach pointée sur Daniel. La jeune fille haletante s'accrochait à sa jambe. Elle semblait avoir recouvré ses esprits et tremblait aussi furieusement que le colosse.

– Stop! Baisse ton arme, Junkie Junk! ordonna Trash.

– Mais... ces ordures... protesta-t-il en se tournant vers elle.

– Tu vas juste réussir à faire tuer tout le monde! Ce n'est pas ça qu'on a appris toutes ces années!

– Mais merde, on n'a pas appris à se soumettre, non?!

Elle lui effleura la joue du bout des doigts pour calmer sa révolte. Il resta là, vacillant sous la caresse, comme retenu par un fil de soie. Elle se souleva sur la pointe des pieds. Junk baissa la tête et Trash appuya son front contre le sien. Ils fermèrent les yeux en même temps tandis que Seize lâchait la jambe de Junk, retenant ses larmes. Trash rompit le tendre contact et reprit d'une voix très douce:

– Messie Mess ?
– Oui, Trash ?
– Tu es prête ?
– Oui, Trash...
La voix de Mess était à la fois rauque et ferme. Son regard ne flanchait pas. Elle croisa les bras pour saisir ses épaules et s'empêcher de frémir.
Daniel éclata d'un rire aussi glacé que ses yeux :
– Que de grandeur d'âme !
– Tu confonds la grandeur d'âme et la logique, laissa tomber Trash. Junk ?
– Trash, tu ne vas pas...
– Tu sais bien que si. Écoute, ça t'épargne un souci, pas vrai ?
Elle sourit en continuant :
– Tu aurais été obligé de t'y résoudre bientôt... Je compte sur toi. Garde *mes* Tramps en vie. (Du regard, elle balaya son groupe.) Continue... Tu sais faire.
– Non, sans toi... j'ai plus envie...
C'était tout ce qu'il trouvait à dire et il se maudissait parce qu'il ne parvenait pas à pleurer, malgré la boule qui lui obstruait la gorge.
– Tu vas la retrouver, l'envie, assura Trash après un coup d'œil en coin à Seize. Tu vas l'y aider, petite, pas vrai ?
– Oui, Trash, je... vais... l'y aider, articula laborieusement Seize.
Trash sourit encore, approuvant l'effort.

– C'est bien.

Puis elle s'arrêta devant Mud :

– Ça t'a fait une sacrée première sortie, hein, petit ?

Mud hocha la tête sans rien dire, les yeux brillants. Elle lui prit la main et y glissa son razor.

– Apprends à t'en servir avant de le dégainer, d'accord ? On y va, Messie Mess ?

Mess parvint à acquiescer. C'est alors que Markus intervint brutalement :

– Mais merde, Junk, tu vas pas laisser faire ça, non ?!

Le colosse secoua la tête et laissa tomber d'une voix éteinte :

– Si, parce que c'est la seule solution. Le gang, c'est tout ce qui compte, les gangboys viennent après. C'est ça qu'on a appris avec Trash. Pas vrai, vous autres ?

Autour de lui, les Tramps approuvèrent sourdement. On entendit Worm sangloter. Il s'était réfugié dans les grands bras maigres de Mud, qui tentait de le réconforter. Mais le ressentiment, un ressentiment noir et insondable, pointait sous le chagrin, et les BloodKlans ne s'en rendaient pas compte. Ils n'étaient que trop ravis de voir Mess ligoter Trash sur l'ordre de Daniel. Aucun d'eux n'avait le courage de s'en charger, au risque de se faire mordre. La Chef leur souriait avec férocité, en leur montrant le plus de dents possible, tandis que Mess glissait subrepticement une boucle de corde dans le poing fermé de sa Chef. Les BloodKlans ricanèrent ; celui que Daniel chargea de la vérification des nœuds fit l'erreur de se contenter de tirer précipitamment dessus pour voir s'ils serraient assez. Puis il se recula, mettant le plus d'espace possible entre la malade et lui. Il était blême.

Les Tramps s'ébranlèrent sur un signe de Daniel et s'engagèrent dans le tunnel. Junk prit leur tête. En passant devant Spoilt, il le toisa :

– On se retrouvera, toi et moi, petit, comptes-y...

Spoilt avala sa salive et voulut parler, mais il n'y parvint pas.

– Lâche-moi ! fit Wresh d'un ton sec.

Il obéit machinalement et la jeune fille rejoignit Junk. Ses yeux étaient vides et ternes. Elle jeta un dernier regard meurtrier à Spoilt. Il fit mine de ne pas le noter, mais un tic nerveux déforma sa joue crevassée d'acné.

Tête basse, les Tramps passèrent devant les BloodKlans et disparurent dans le couloir.

Daniel parada :

– Je savais que vous verriez les choses comme nous !

Toi aussi, je te retrouverai, ordure, songea Junk.

Les Tramps marchèrent jusqu'à ce que le couloir fasse un coude et qu'ils disparaissent à la vue des BloodKlans. On entendait leurs gros rires, la voix de Spoilt qui se félicitait que ça se soit si bien passé. Junk se raidit en entendant un cri de fille. Il ne savait pas qui l'avait poussé, Trash ou Mess. C'était peut-être ça le pire.

– Mess, précisa Seize tout doucement.

Ils n'avaient pas fait cinq cents mètres dans un silence morne que quelqu'un poussa un juron rageur. Markus se dressa devant Junk :

– Hé, j'y crois pas !? On se taille vraiment ? Ce mec t'a chouré tes gonzesses pour se les faire et tu lui casses pas sa sale tronche ?

Il en postillonnait d'irritation. Une colère dont il ne démêlait pas très bien les raisons. Il respectait et aimait bien Trash – autant qu'il pouvait respecter et bien aimer quelqu'un. Elle allait crever, et ça ne lui plaisait pas du tout. Et surtout, l'ancien Chef se sentait aussi humilié que les Tramps. Sans réfléchir, il donna un petit coup sec de la paume dans l'épaule de Junk. Le colosse para du tranchant de la main et l'envoya s'étaler deux mètres plus loin entre deux rails disjoints.

– N'abuse pas, Markus, Trash t'a laissé en vie, mais JE n'ai encore rien décidé, dit-il en se contenant avec peine. En plus, tu veux qu'on fasse quoi devant trente M31 en terrain découvert ? On crèvera. Pour rien. Trash nous a appris aussi qu'il faut survivre avant de penser à se venger.

– Je connais quelqu'un, bordel ! Si je peux le contacter, il nous dira où est le repaire de ces salopards ! s'exclama Markus en se relevant mais en restant à bonne distance de Junk, cette fois.

– Tu es sûr de ça ?

– Pratiquement. Le type ne peut rien me refuser et c'est un des BloodKlans les plus haut gradés... L'ennui, c'est que j'ai pas de CellComputer pour le joindre. Si on doit y aller à pied, ce sera trop tard.

– J'en ai un, intervint Casteret d'une voix terne. Un bon journaliste ne s'en sépare jamais.

Junk sursauta, il avait complètement oublié le gros homme. Depuis l'évasion du stade, le journaliste était resté muet, se contentant d'essayer de suivre l'allure folle de la bande. Il était gris de fatigue et respirait avec peine.

– Passez-le-moi ! ordonna Markus, qui eut la présence d'esprit de vérifier si Junk était d'accord.

Le colosse acquiesça. Markus ne se le fit pas dire deux fois, composa un numéro. La conversation fut très courte. D'un ton sans réplique, l'ancien Chef des gangs parisiens ordonna à son interlocuteur de lui révéler l'endroit où les BloodKlans se réunissaient d'habitude. L'autre protesta avec violence, on entendait ses éclats de voix perçants dans le micro.

Markus se contenta de laisser tomber :

– Très bien, si tu le prends comme ça, je coupe tes approvisionnements en AzTc ! Alors ramène tes fesses immédiatement !

Et il coupa la communication avant de rendre l'appareil à son propriétaire. Junk gloussa presque :

– Il sait pas encore que t'as plus de came à vendre ?

Markus haussa les épaules :

– Faut bien bluffer de temps en temps, mec, tu sais ce que c'est...

Junk fronça les sourcils mais ne dit rien. Casteret récupéra son CellComputer et pianota dessus.

– Pure curiosité professionnelle, dit-il poliment à Markus, mais n'est-ce pas le numéro du Premier Adjoint au Maire que vous avez composé? Ça y ressemble bigrement...

Markus haussa les épaules :

– Qu'est-ce que tu crois? Que les BloodKlans ont été apportés par la cigogne? Le Premier Adjoint est un de leurs chefs depuis toujours...

– Et il est atteint du 4?

– Ouais, ça te pose un problème?

– À moi, non. Mais à lui, si ses BloodKlans l'apprenaient, oh oui!

Markus ricana :

– T'es bien naïf, pour un journaleux! Mais la guerre contre les 4, c'est de la politique, il y croit pas une seconde! Tout ce qu'il veut, c'est la place du Maire!

– Et comment savez-vous tout cela? demanda encore Casteret en prenant des notes.

Markus détourna le regard et, après un moment de silence, il laissa tomber du bout des lèvres :

– C'est mon père.

Sa voix était rauque et ses yeux brillaient dangereusement.

Junk ricana :

– Eh bien, si les chiens font pas des chats, on dirait que les salopards non plus...

CHAPITRE 20

Le Premier Adjoint les rejoignit très vite. Markus et lui se saluèrent avec la plus grande froideur, on n'aurait jamais cru à leur parenté si la ressemblance entre les deux n'avait été aussi frappante. Les Tramps se taisaient et écoutaient Junk et Casteret discuter avec le père et le fils de la marche à suivre pour libérer Trash et Mess. Louis, lui, fixait le gangboy et son père avec curiosité : ainsi, c'était ça la « véritable identité de Markus », le noir secret qui avait permis à ses propres parents de rester en vie si longtemps...

– Je veux bien vous montrer où se trouve le QG des BloodKlans. Je connais même un chemin détourné qui vous permettra de les prendre à revers, mais après je m'en vais ! dit le Premier Adjoint.

– Pas question ! fit Junk rudement. On a besoin que

quelqu'un prévienne Trash et Mess qu'on va donner l'assaut.

– Oui, ajouta Markus. Et il faut que tu les mettes à couvert avant, sinon elles seront au milieu des tirs...

– Peut-être même qu'il peut refiler en douce le razor à la Chef, suggéra timidement Mud en mettant la main à sa poche.

– Mais vous êtes dingues ! Comment pourrais-je leur parler sans que quiconque s'en aperçoive ou trouve ça louche ? Sans compter cette histoire d'arme !

On n'en a rien à foutre que tu te fasses repérer, songea Markus.

– C'est surtout qu'il faudrait qu'elles lui fassent confiance, réfléchit-il à voix haute. Les Tramps, vous n'avez pas un mot de passe quelconque entre vous ? Un truc qu'elles reconnaîtraient immédiatement ?

Junk secoua la tête :

– Je vois pas...

Casteret fronça les sourcils et hasarda :

– Et s'il sifflait *Janie's got a gun* ? Elle avait l'air d'apprécier cette chanson, votre Chef.

– Ouais, ça pourrait marcher...

L'espoir était ténu dans la voix de Junk. Seize se coula contre lui et caressa sa main pour l'encourager.

– Mais je ne connais pas cette fichue chanson, elle date quasiment de la préhistoire ! protesta le Premier Adjoint.

– Eh bien, je te conseille de l'apprendre très vite... *père*, susurra Markus qui se tourna vers Junk en pavoisant :

Alors? J'avais pas raison de te bousculer un peu, le Tramp?

– Oui, répliqua Junk. Parce que tu sais, Trash nous a appris autre chose...

– Quoi?

– Quand on peut débarrasser le monde de ses parasites, faut pas se gêner.

Et Junk fixa Markus, qui se détourna, mal à l'aise.

***

Soutenus par leur colère et leur rage de vengeance, les Tramps enfilaient les couloirs à une allure folle, pressés par un Junk fou d'angoisse qui rugissait après les retardataires. Louis et surtout Casteret avaient du mal à suivre, car ils n'étaient pas habitués à tant d'efforts physiques et nerveux en si peu de temps. Surtout qu'ils durent encore ramper dans d'étroits conduits d'aération: le père de Markus leur avait indiqué le chemin pour prendre les BloodKlans à revers; lui, il passait par la voie habituelle.

La hâte des Tramps fut payante: ils parvinrent au QG de leurs adversaires avant eux. Le gang se planqua dans une coursive supérieure, basse de plafond et soutenue par des petits piliers ronds. Elle surplombait une salle circulaire qui ressemblait à celle où les Tramps avaient découvert Seize. À ceci près qu'ils ne pourraient pas sauter: la coursive était grillagée tout du long. De plus, les mailles coupantes des razorbelés étaient protégées par un courant électrique qui servait à éloigner les rats et les visiteurs indésirables, et aussi à actionner un système d'alarme dont on voyait clignoter le boîtier sur le mur d'en face.

En bas, une herse antique, ceinte de chaînes cadenassées et commandée par une serrure numérique, fermait l'entrée. Ce luxe de mesures de sécurité s'expliquait par la quantité de matériel entreposé : des caisses d'armes, selon toute probabilité, qui encombraient le local, empilées au petit bonheur.

Markus balança un de ses sourires ravageurs à Shabby qui venait de se glisser à côté de lui pour examiner la situation. Elle se releva aussitôt, le visage fermé, et alla ostensiblement rejoindre son frère. La jeune fille ne lui pardonnait pas de l'avoir poussée à se conduire comme une idiote.

– Comment tu vois les choses ? demanda Junk à Markus.

– Les BloodKlans entrent et referment la grille. Mon pè... le Premier Salopard se pointe peu après. Ils le laissent entrer. Il distrait les gars en leur racontant des conneries, avertit les filles et refile le razor à Trash. Puis on shoote ces ordures. Faut juste faire tomber ce foutu grillage en même temps, grogna-t-il en désignant les mailles d'acier.

– Ça, c'est pas un problème...

Junk exhiba ses deux derniers cubes de C8. Markus émit un petit sifflement d'admiration et ajouta :

– Le souci, ce sera de pas toucher Trash... ni la Chinoise...

Il évoqua cette dernière avec un temps de retard ; pour lui, elle n'était qu'un pion qu'on pouvait sacrifier.

– Mess.

– Quoi ?

– La Chinoise s'appelle Mess.

– Taisez-vous ! intervint Shabby. Les voilà !

D'un geste, Junk fit signe aux autres de se déployer en rampant dans la coursive. Crap et Shift se postèrent au-dessus de l'entrée, leur mission serait d'arroser la herse de balles pour empêcher quiconque de s'enfuir. Les autres Tramps se partageraient les cibles. Junk et Markus installèrent les charges explosives.

Pendant ce temps, les BloodKlans s'étaient tranquillement installés dans leur repaire. Trash et Mess, toujours ligotées, avaient été consignées au centre de la pièce. Leurs geôliers riaient fort et se congratulaient. Deux prises dans la même journée ! C'était un bon jour, braillaient-ils.

– Un bon jour pour mourir, grinça Louis.

Wresh, qui s'était faufilée à ses côtés, lui jeta un regard approbateur. Elle lui passa son Tazze supplémentaire sans mot dire. Il la remercia d'un hochement de menton.

Junk observait fixement Spoilt qui, pour l'instant, faisait de la lèche à Daniel. Le chef des BloodKlans se contentait d'écouter le traître sans répondre, d'un air agacé. On n'entendait pas ce qu'ils disaient. Le blond finit par acquiescer avec un dégoût visible.

– Ah merde! grogna Junk. J'espère que le Premier Salopard va se pointer bientôt! Cette larve de Spoilt ne résistera pas longtemps à l'envie de se taper Mess...

Effectivement, l'ancien compagnon de Wresh libéra la jeune Asiatique de ses liens, puis, la traînant derrière lui, se glissa à l'écart entre deux piles de caisses. Mess se laissait faire, morne et absente, comme si tout ce qui se passait dans la pièce avait cessé de la concerner. Elle semblait s'être réfugiée très loin au fond de son esprit, là où personne ne pourrait désormais l'atteindre. Cela agaça Spoilt qui lui envoya une claque formidable. Sous le choc, elle tomba à terre entre deux caisses et ils disparurent aux regards des Tramps, atterrés.

On secoua la herse à ce moment-là. Constatant l'identité de son visiteur, Daniel se précipita, l'air affolé. Il ouvrit au Premier Adjoint avec une hâte servile. Le père de Markus arborait une expression très préoccupée qui ne devait pas être totalement feinte. Au fur et à mesure qu'il parlait, le visage de son interlocuteur se décomposait.

– On n'entend rien! ragea Junk à voix basse. Il va pas nous trahir, ton père, au moins?

– Ça risque pas, souffla Markus. Déjà, faudrait qu'il explique aux BloodKlans comment j'ai pu l'obliger à nous avouer où est leur repaire. C'est un 4, je te rappelle.

Daniel intima d'un geste sec à Spoilt l'ordre d'arrêter son cirque. Ce n'était plus le moment de s'amuser. L'ancien Tramp abandonna sa victime à regret pour s'asseoir dans un coin, l'air boudeur. Mess, tremblante, le corsage déchiré, rejoignit Trash et se coula contre elle. Avec un léger temps de retard, la Chef pressa son front contre le sien. Mess ferma les yeux sous la brève caresse, puis se blottit dans le giron de Trash.

Daniel réunit ses gars et leur répéta les propos du Premier Adjoint. Seuls quelques mots parvinrent aux Tramps embusqués, mais ils suffirent à rasséréner Junk. Le Premier Salopard avait inventé un joli bobard et les BloodKlans le gobaient : « on » cherchait à les éliminer ! Le père de Markus s'éloigna du groupe, se rapprochant insensiblement des prisonnières. Il arriva à la hauteur des caisses, en ouvrit une et fit mine d'en inspecter le contenu, tout en sifflotant, inconsciemment semblait-il.

Trash, qui avait gardé la tête basse jusque-là, leva soudain les yeux vers lui. Elle jeta un regard discret vers la coursive. Son œil perçant accrocha le reflet d'une arme derrière les grillages. Elle baissa à nouveau son visage impassible vers Mess, toujours frémissante contre elle.

– Putain, j'aimerais pas jouer au poker avec elle ! chuchota Markus avec admiration.

Junk ne releva pas, il était trop occupé à guetter le moment où le Premier Adjoint glisserait son razor à Trash. Ce fut très bref. Un éclat argenté entre la prisonnière et le visiteur. Junk appuya sur la télécommande des détonateurs en hurlant :

– Maintenant !

Les charges explosèrent, déchiquetant le grillage. Les Tramps arrosèrent les BloodKlans de rafales mortelles. Trash projeta Mess à terre sans ménagement. Les Tramps vidaient leurs chargeurs sans pitié. La plupart des BloodKlans s'abattirent, fauchés comme des quilles autour de leur chef sidéré, certains déjà morts avant de toucher le sol.

Le Premier Adjoint se faufila à l'abri entre deux caisses. Trash se libéra de ses liens en deux secondes, grâce à la boucle de corde cachée dans son poing, et se redressa, le razor en main. Elle se jeta droit sur Daniel en deux rondades. Daniel n'eut même pas l'occasion de s'ébahir des bonds formidables que déjà le pied de la jeune femme frappait son tibia. L'os se brisa avec un claquement sec et le grand blond s'effondra dans un hurlement. Puis le razor s'enfonça dans la poitrine offerte, ne laissant pas au chef des BloodKlans le temps de gémir. Trash se retourna pour s'attaquer au suivant. Celui-ci, un des rares BloodKlans toujours debout, la regarda s'avancer, fasciné et horrifié, sans pouvoir remuer un cil. Il était déjà mort et il ne le savait pas.

– Merde ! jura Markus de son perchoir. Elle aurait pu attendre qu'on les ait tous...

Un mouvement attira son œil : Daniel remuait encore et sa main s'approchait insensiblement d'un M31 tombé à terre. Sans attendre l'ordre de Junk, Markus sauta sur le haut d'une pile de caisses, puis à terre, ce qui l'amena à cinq mètres environ de son adversaire. Appuyé sur son coude, le blond pointait en tremblant son fusil vers Mess, qui lâcha un couinement d'horreur. Trash se retourna. Daniel agonisait, une tache écarlate s'élargissait sur sa chemise jadis d'un blanc étincelant. Il ne voyait presque plus rien. Markus n'eut pas le temps de l'atteindre, il lâcha une rafale de son M31. Trash se jeta devant le canon pour protéger Mess, trois balles crevèrent sa combinaison argentée à la hauteur du ventre. Un instant, elle demeura debout, ses yeux gris s'agrandirent et un sourire amer, fugitif, voleta sur ses lèvres fines. Elle s'effondra.

– Trash !!! rugit Junk du haut de la coursive.

Il se jeta à son tour de caisse en caisse jusqu'au sol, les Tramps à sa suite. Les gosses commencèrent aussitôt à achever méthodiquement les blessés. Markus arracha l'arme des mains de Daniel. Junk se rua sur eux, repoussant son allié d'une formidable bourrade.

Lorsque Markus parvint à s'asseoir, à moitié sonné, Daniel n'était plus qu'une pulpe sanglante entre les poings de Junk qui continuait pourtant de frapper, le regard vide. Markus chercha Seize du regard. Elle aurait pu sortir le colosse de sa folie homicide, mais elle gisait évanouie dans la coursive, anéantie par ce déchaînement de violence. Il jeta un œil circulaire. Les Tramps s'étaient regroupés dans un coin de la pièce et cernaient Spoilt.

Ce dernier jetait des regards paniqués autour de lui. Il avait saisi Wresh par les cheveux et la serrait contre lui, son couteau piquant sa gorge.

– Laissez-moi partir ! cria-t-il d'une voix hystérique. Sinon, je la tue ! Je la tue !

Il tenta de reculer, mais une haute pile de caisses lui barra le chemin.

Wresh ricana :

– T'es foutu, Spoilt. (Et aux autres :) Le laissez pas s'en tirer ! Même s'il...

Elle se tut, la pointe du couteau avait pénétré sa peau d'un demi-centimètre. La jeune fille ferma les yeux et attendit le geste fatal. Les Tramps, pétrifiés, s'étaient immobilisés. Markus cherchait désespérément une solution, lorsqu'une voix murmura faiblement à côté de lui :

– Amène-moi... là-bas...

Il sursauta. Trash était encore en vie. Elle pressait convulsivement sa main contre son ventre. Le sang sourdait entre ses doigts.

– Faut pas bouger dans ton état ! protesta-t-il bêtement.

– Amène-moi...

Il se releva et la prit dans ses bras avec réticence :

– Il va pas aimer...

Du menton, il désigna Junk qui ne cessait de cogner le cadavre d'une répugnante mollesse. Trash secoua la tête, elle était hors d'état de répondre. Ils parvinrent auprès du petit groupe et elle se contenta de braquer ses yeux noyés de souffrance sur Spoilt.

Indécis et comme honteux, il éloigna légèrement la pointe du couteau de la gorge offerte. Une goutte de sang perla. Il fixait sans rien dire son ancienne Chef d'un regard hanté.

– Pourquoi... t'as... fait... ça ?

La jeune femme crachait du sang à chaque mot.

– Et toi ? Les BloodKlans m'ont coincé dans l'abri où vous m'aviez abandonné comme un déchet ! Z'ont failli me buter direct, alors je leur ai dit... ce que je savais... Ils m'ont demandé de les aider à te coincer...

– Abandonné ? Mais c'était pour te sauver la vie, espèce de connard ! s'insurgea Wresh. Avec toutes les foutues plantes qu'on a croisées, tu...

Spoilt haussa les épaules avec une indifférence affectée. Il sentit alors une présence au-dessus de lui. Soudain, une étrange faiblesse le prit, la sensation de froid sur son cou lui parvint avec une bonne seconde de retard, ses genoux cédèrent sous lui. Il tomba devant Trash sans comprendre, les yeux ouverts, entraînant Wresh dans sa chute. La jeune fille se redressa, indemne, essayant d'échapper aux flots de sang qui jaillissaient de la gorge du traître.

Mud se dressa au-dessus des caisses, tenant dans sa main la lame du couteau de Spent.

– Je crois que je saurai me servir du razor aussi... maintenant... coassa-t-il en sautant maladroitement à côté du cadavre de Spoilt.

Trash opina et fit signe à Markus de s'approcher encore. Elle tendit son bras tremblant et retira l'arme des doigts crispés de Mud. Junk serait furax que Spoilt lui ait échappé aussi facilement.

– Pose-moi... maintenant, murmura-t-elle à Markus. Puis elle réunit ses dernières forces et appela : Junk !

La voix, ténue pourtant, traversa comme un trait de feu le brouillard écarlate qui avait envahi le cerveau de son ami. Les poings dégoulinant d'un magma rougeâtre, il se tourna brusquement vers Trash, un espoir dément peint sur le visage. Mais cette lumière s'éteignit aussitôt qu'il vit le ventre béant de la jeune femme. Elle n'avait plus la force de contenir la blessure. Sa combinaison était inondée de sang.

Il courut à elle :

– Trash !

Il voulut la prendre dans ses bras, mais elle refusa d'un geste :

– Le sang... fais attention au sang... Tu risques d'être... contaminé...

Impuissant, le colosse serra ses gros poings et baissa la tête. Markus sourit amèrement : pour lui, la jeune femme n'avait pas eu ce luxe de précautions ! Il regarda ses mains et ses habits presque propres, et s'en voulut aussitôt. Non, Trash ne l'avait pas mis en danger, elle avait réussi à contenir l'hémorragie tout le temps où il l'avait transportée. Une émotion inconnue s'empara de lui et, pour la première fois de son existence, Markus se sentit redevable envers quelqu'un. Il se détourna, les dents serrées.

– Junk? (La voix de Trash n'était plus qu'un souffle.)

– Oui?

– Mets un truc... derrière mon dos, je voudrais... vous voir... tous... avant...

– Dis pas de conneries!! Tu vas pas...

– Arrête... Junkie Junk...

Il secoua la tête, incapable de parler ou de bouger. Worm et Mud traînèrent une petite caisse qu'ils glissèrent derrière la jeune femme. Elle s'y adossa non sans mal, grimaçant d'une folle douleur. Mais son regard d'une lucidité tranchante ne quittait pas les visages anéantis des Tramps qu'elle voulait graver dans sa mémoire pour l'éternité: Mess d'abord – la jeune Asiatique voulut parler, mais elle éclata en sanglots; Wresh serrait les dents à s'en faire éclater la mâchoire; Shabby, blottie en larmes dans les bras de son frère, semblait revivre une scène ancienne et insupportable; les jumeaux, Crap et Shift, aussi muets l'un que l'autre, crispaient leurs phalanges blanchies sur leurs fusils; Mud se mordait les lèvres jusqu'au sang et Louis, enfin, la scrutait avec un accablement morne qui en disait autant que des larmes.

Trash leur sourit à tous. Puis ses yeux se fixèrent sur Junk et ne le quittèrent plus:

– On s'est... bien amusés tous... les deux, hein?

– Oui, Trash, murmura-t-il.

– Tu te souviens... cette chanson... qu'on a entendue... chez mon... p... père? Il l'a... fredonnée... lui...

D'un geste vague, elle désigna le Premier Adjoint qui s'extirpait de sa planque et cherchait à fuir. Personne ne fit un geste pour l'en empêcher.

– Oui, Trash?

– Tu crois... que tu pourrais... me la chanter?

Sans la quitter du regard, Junk fit non avec désespoir.

– On va faire mieux que ça, petite! dit Casteret, la voix étranglée.

Le gros homme était parvenu à descendre de la coursive, tant bien que mal. Il sortit son CellComputer et l'alluma:

Janie's got a gun

Trash toussa une nouvelle fois, mais parvint à reprendre en même temps que le chanteur:

– Janie's got a gun...

Her dog's day just begun...

Trash ricana.

– En fait... elle est... terminée... ma journée de chien, hoqueta-t-elle. Junk? Je ne te l'ai... jamais dit... je t'aim...

Elle s'interrompit.

Et ce fut fini.

– Je sais, je l'ai... toujours su, répondit-il à celle qui ne pouvait plus l'entendre.

Il ferma les yeux d'acier dont l'éclat se ternissait. Alors seulement il parvint à pleurer.

Épilogue

Worm s'étira voluptueusement avant de s'extirper du ballot de couvertures poussiéreuses où il venait de passer la nuit. Non loin de lui, le vieux Gérard dormait encore, le gosse jugea inutile de le réveiller.

Sa montre bipa. C'était bientôt l'heure. Worm jeta un œil en dehors de son trou confortable et soigneusement dissimulé. C'était la « position avancée », comme disait cet Euraz ahuri de Casteret, qui en avait eu l'idée. Le journaliste en avait eu assez d'attendre dans le froid et le danger le moment où les caméras devenaient aveugles, au retour de ses voyages – rarissimes – en dehors de la Poubelle. Worm, qui partait souvent en mission dans la Bulle parisienne, appréciait tout particulièrement l'endroit.

La basilique Saint-Denis rosissait sous l'assaut des premiers rayons de soleil. Le bracelet bipa une nouvelle fois. Le gosse se ramassa sur lui-même et fonça en direction du repaire des Tramps. Il y parvint en un temps record qui lui arracha un énorme soupir d'autosatisfaction. La porte blindée se referma derrière lui et il galopa faire son rapport à Junk. Celui-ci le reçut pendant qu'il surveillait la relève de l'équipe de « cyclistes ». Les Tramps échangeaient leur place un par un afin qu'il n'y ait pas d'interruption dans l'alimentation électrique de la Poubelle.

– Le Premier Adjoint a été arrêté pour atteinte à la sûreté de l'État, on l'a enfermé dans une chambre d'hôpital ! Il va être un des premiers à tester le médoc ! ricana Worm.

Junk hocha la tête sans répondre. Il avait encore du mal à s'intéresser à la situation extérieure. Avant, c'était Trash qui s'en chargeait ; en ce qui le concernait, tous ces foutus Euraz pouvaient bien crever dans leurs cités de merde. Mais il n'avait plus le choix maintenant. Il ne pouvait plus se cacher derrière son amie défunte pour ignorer les noirceurs du monde et se contenter de cogner sur ce qui se mettait en travers du chemin de Trash.

C'est moi le protecteur des Tramps, maintenant, pensa-t-il en s'efforçant d'ignorer ses yeux soudain brûlants. Il haussa les épaules avec fatalisme, congédia Worm et prit la direction de la cantine.

Casteret jaillit de l'ancien bureau de Trash comme une bombe de sueur pour se jeter presque dans ses bras. Le journaliste délirait d'enthousiasme : les médias de toute la Fédération Eurasiatique reprenaient son enquête et, dans les Bulles, les employés commençaient à gronder. Peut-être allaient-ils se révolter? Junk secoua la tête avec indulgence : il aurait bien aimé y croire lui aussi. Il frappa amicalement l'épaule de Casteret et continua son chemin.

Il croisa Seize qui posa sa main sur son avant-bras. Tous deux passèrent devant le gymnase. Junk grimaça en entendant Markus brailler après un maladroit. Il faisait office de professeur de close-combat, ce pour quoi il s'était révélé étonnamment doué. La voix sèche de Shabby renchérit derrière lui. La grande blonde s'était donné pour tâche de le surveiller pendant sa période d'essai et elle ne le lâchait pas d'une semelle. Seize sourit. Elle prétendait que ça finirait soit par l'éviction définitive de Markus, soit par un mariage.

À moins que Markus craque et étrangle Shabby avant, songea Junk, qui savait bien quelle solution il aurait choisie à la place du gangboy.

Bon, ça semblait fonctionner pour l'instant, même si Trash n'aurait pas été d'accord. Ses yeux le brûlèrent à nouveau. La petite main pâle posée sur son avant-bras exerça une légère pression, lui communiquant une chaleur douce et nostalgique à la fois. Il se pencha vers Seize, sachant qu'elle se voyait dans ses yeux et s'y trouvait belle.

À l'infirmerie, Mess s'activait en compagnie de Mud. Ils essayaient d'apprendre à ce foutu clébard à rapporter des choses. En vain pour l'instant, mais Mess souriait.

Et c'était encore assez rare pour qu'on s'en félicite. La jeune Asiatique, qui se sentait responsable de la mort de Trash, se remettait doucement. Mud, lui aussi bourrelé de remords à cause de celle de Spent, et – comment avait-elle appelé cette boule de poils ridicule ? Ah oui… – Lumox l'y aidaient tous les jours. Ils se servaient mutuellement de béquille, aurait-on dit.

Junk leur adressa un salut de la main. Lumox jappa vers Seize avec enthousiasme, penchant comiquement sa tête ébouriffée, une seule oreille dressée, en même temps que ses maîtres improvisés répondaient au geste de leur Chef.

Louis et Wresh apparurent au détour d'un couloir. Wresh, accrochée à la manche du grand blond, riait comme une folle. Junk et Seize s'écartèrent pour les laisser passer. C'est à peine si les deux jeunes gens les avaient remarqués.

Ils arrivèrent enfin à la cantine. Des haut-parleurs diffusaient une musique puisée dans les fichiers audio innombrables de Casteret. C'était encore une initiative du journaliste qui ne pouvait pas vivre sans musique et pensait que les autres non plus ! Junk n'était pas convaincu : la musique, pour lui, était une sorte de bruit gênant. C'est pourquoi il avait limité les dégâts au réfectoire ; et chaque fois qu'il s'y rendait, il se forçait à ne pas y faire attention.

Il tira une chaise pour sa compagne, s'installa avec elle à une table, à côté des jumeaux, et se mit à peler une pomme de terre sans faire attention aux gosses installés autour d'eux. Il s'avisa enfin que sa présence et celle de Seize avaient fait taire les conversations. Junk jeta un coup d'œil aux gamins qui les entouraient, surpris de voir les Chefs s'abaisser à cette tâche subalterne qu'était la corvée de pluches. Tous des nouveaux venus ou presque. Les gangs avaient subi des revers terribles ces derniers mois, et beaucoup de gangboys avaient demandé asile aux Tramps. Peut-être allait-il falloir fonder de nouvelles Poubelles?

Ça pourrait être une solution au «problème Markus», se dit Junk.

– Ici, quand tu travailles pour les autres, les autres travaillent pour toi, expliqua Junk. Il faut faire et savoir tout faire, parce que ce qui compte, c'est le gang, pas les gangboys. Même pas les Chefs. C'est ce que Trash nous a appris...

– Pardon, Chef, c'est qui, Trash? osa demander un des nouveaux.

Seize pressa la main de Junk et répondit à sa place:

– L'âme des Tramps.

Du même auteur, aux éditions Syros

ÉdeN en sursis, coll. « Soon », 2009
L'Enfant-satellite, coll. « Mini Syros Soon », 2010

L'auteur

Jeanne-A Debats est née en Aquitaine. Elle y est retournée après trente-cinq ans en région parisienne, qu'elle n'arrivera jamais à quitter réellement pour autant. Un pied dans la Seine, l'autre dans la Garonne, elle élève ses enfants, ses chats et ses chiens, à moins que ce ne soit le contraire.

Écrivain par nécessité, professeur par vocation, elle enseigne le latin et le français dans un collège du Sud-Ouest. Elle est venue à la SF parce que tombée dedans quand elle était petite, grâce aux efforts conjugués des grands auteurs américains Arthur C. Clarke et Robert Heinlein (qui n'en surent jamais rien).

Beaucoup plus tard, la rencontre dans les années 2000 avec un éditeur de *fantasy* renommé scelle son sort : si le roman qu'elle lui présente n'est pas mature et ne sera donc pas sélectionné, il lui montre le chemin encore à parcourir et l'encourage vivement à persévérer.

Après quelques nouvelles sorties dans diverses anthologies, Jeanne-A écrit la novella *La Vieille Anglaise et le Continent* pour les éditions Griffe d'Encre. La novella remportera trois prix majeurs en 2008 : le Prix Julia Verlanger, le Grand Prix de l'Imaginaire et le Grand Prix de la Science-Fiction dit « Prix du Lundi ».

Parce qu'elle n'entend pas se cantonner à quelque genre que ce soit, ni maintenant ni jamais, Jeanne-A s'est lancée dans la littérature de jeunesse, dont elle est depuis toujours en classe un ardent défenseur. Elle a déjà publié, en 2009, *ÉdeN en sursis* dans la même collection et, pour les plus jeunes, en 2010, *L'Enfant-satellite*, dans la collection « Mini Syros Soon ».

Soon

Des histoires de futurs pour réinventer le présent

www.syros.fr/soon/

Déjà parus

1. *Apocalypse Maya*
Frédérique Lorient

Maya est une petite planète perdue au fin fond du cosmos, colonisée depuis peu par la société AgroCorp qui y expérimente du maïs génétiquement modifié.

Suite à la mort de sa mère, Jové est envoyé sur Maya chez son grand-oncle Trree, un étrange personnage d'origine indienne qui a bourlingué sur toutes les planètes colonisables. Trree va confier à Jové le secret de Maya : la planète abrite une forme de vie intelligente, des sortes de serpents à fourrure munis d'un seul œil cyclopéen, qu'il a baptisés « Suris ». Ils utilisent un langage à base de soupirs, vénèrent le dieu Maïs et peuvent être de redoutables guerriers.

Pour les responsables d'AgroCorp, bien décidés à exploiter la planète, les Suris ne sont que des animaux.

Cette erreur se révélera tragique…

Un roman poétique et visuel sur la difficile reconnaissance de l'Autre, qui renvoie (comme *Les Chroniques martiennes* de Ray Bradbury) au génocide indien.

« Un beau roman citoyen de qualité. »
(Sophie Pilaire – http://www.ricochet-jeunes.org/)

2. *Terre de tempêtes*
Johan Heliot

Années 2060. Suite aux bouleversements climatiques, le nord de la FedEuro (l'ex-Europe) est devenu une zone marécageuse, tandis que la sécheresse sévit au sud.

Zayed et Lina, scientifiques français de très haut niveau travaillant en VertAfrique, sont convoqués en urgence à Paris par le Centre de contrôle climatique (le 3C). Ne pouvant emmener leur fils Reda (treize ans), ils le confient à son grand-père Siméon qui gère des champs de capteurs solaires dans le désert de l'ancienne Aquitaine. Reda n'en mène pas large face à ce géant bourru, au passé obscur.

Arrivés au 3C, Zayed et Lina apprennent qu'un cyclone d'une nature et d'une violence encore jamais vues vient de se former dans l'océan Atlantique, et qu'il se dirige vers les côtes de la FedEuro. Reda et son grand-père se trouvent en plein sur la trajectoire...

Lassée d'être maltraitée par la folie cupide des hommes, la Terre se révolte. Un roman palpitant emporté par la fureur des éléments, un cri d'alarme écologique et aussi une émouvante chronique familiale.

« Frissons, palpitations, réflexions, la lecture de Terre de tempêtes *est à triple détente. »*
(Maryline Baumard – *Le Monde de l'éducation*)

3. *À mille milles de toute terre habitée*
Ange

Deyann, treize ans, vit seul sur un satellite minier, à des années-lumière de la première planète habitée. Un matin, il découvre dans les bas-fonds grisâtres du satellite le cadavre d'une fille de son âge, habillée de pourpre et d'or, portant un étrange pendentif...

Ce que Deyann ignore encore, c'est que ce satellite où il se sent abandonné de tous est au centre d'une multitude d'univers parallèles. Dans un monde proche, et pourtant si différent, l'explosion d'un dirigeable – dans lequel voyageait la jeune inconnue en robe rouge, Elizabeth – a créé une brèche temporelle, projetant le cadavre d'Elizabeth dans l'univers de Deyann.

En passant à travers la brèche, Deyann va revenir trois heures avant l'explosion du dirigeable. Il espère ainsi sauver la jeune fille. Mais de dangereuses créatures, les Obscurs, sont elles aussi à la poursuite d'Elizabeth. Car leur survie dépend du pendentif qu'elle porte.

À travers ce roman d'amour et de mort, où la science-fiction déploie son imaginaire le plus débridé et le plus romantique, l'auteur s'adresse aux plus solitaires d'entre nous : même à mille milles de toute terre habitée, on n'est jamais seul.

« Sans conteste le roman jeunesse le plus enthousiasmant qu'il m'ait été donné de lire depuis longtemps. »

(Christophe Lambert – http://lambear.canalblog.com/)

4. *L'arche des derniers jours*
Éric Simard

La Terre, 2109. Vingt-deuxième siècle. Un effroyable conflit planétaire a décimé presque toutes les espèces vivantes et provoqué des mutations génétiques.

Des enfants aux pouvoirs étranges se sont réfugiés dans la jungle, auprès des rares animaux ayant survécu. Chaque adomutant a son propre « amimal », qui lui correspond étrangement. Ainsi, Iza et Louve, Lyan et Cerf, Shaona et Aigle, Mynor et Taureau, Youn et Dauphin vivent-ils paisiblement sur une côte sauvage du Sud de l'Inde. Mais des hommes armés accostent, recherchant frénétiquement les jeunes êtres. Terrés dans la mangrove, les adolescents se préparent à riposter farouchement. Ils ignorent que des scientifiques de l'Arche des derniers jours, un inquiétant laboratoire caché au cœur des îles des Cyclades, projettent de les capturer afin de pouvoir les étudier...

Une histoire fabuleuse aux couleurs de la mythologie. Un combat âpre pour la liberté, un roman bouleversant sur les liens mystérieux qui unissent l'homme à l'animal, un conte cruel sur les dérives de la science.

« Un excellent roman d'anticipation qui mêle aventure et lyrisme. »

(Anne Fakhouri – ActuSF http://www.actusf.com)

5. *Les clefs de Babel*
Carina Rozenfeld

Liram vit chez les Aériens, dans les plus hauts étages de la tour de Babel où se sont réfugiés les hommes depuis que le Grand Nuage a empoisonné la Terre, il y a mille ans. Suite à un drame – ses parents sont assassinés –, Liram doit abandonner son univers douillet pour fuir dans les étages inférieurs, peuplés par ceux que les Aériens ont repoussés vers le bas dix siècles plus tôt, avant de condamner toutes les issues...

Lors de sa descente dans ce monde sordide, hanté par des mutants et ravagé par la misère, il rencontrera quatre adolescents marqués d'un mystérieux tatouage et dotés de pouvoirs étranges. Liram comprendra alors qu'il est lui-même porteur d'un destin exceptionnel, très lourd pour ses jeunes épaules. Heureusement, il n'est pas seul...

Une quête haletante à l'écriture rythmée et aux multiples rebondissements, dans un angoissant univers post-apocalyptique. Mais aussi un précieux message d'espoir et de tolérance.

«L'auteur a un véritable don de conteuse qui nous emporte dans un monde apocalyptique et nous renvoie aux dérives du nôtre autant qu'à sa beauté unique qu'il faudrait préserver.»

(Livralire – http://www.livralire.org/)

6. *ÉdeN en sursis*
Jeanne-A Debats

Quelle surprise pour Cléone – capitaine, malgré ses quinze ans, du vaisseau le *Quetzal* – de découvrir que la météorite qui a déchiré sa voile solaire est en fait une capsule de survie ! À l'intérieur gît un beau jeune homme gravement blessé... Contre toute attente, l'Intelligence Artificielle du *Quetzal* s'oppose résolument au sauvetage et enjoint Cléone d'abandonner l'inconnu dans l'espace. Car l'IA a reconnu, gravé sur la capsule, le logo de la terrifiante multispatiale DeltaGen... Cléone s'empresse de désobéir à cet ordre cruel. C'est pour elle le début d'une expédition pleine de dangers qui la mènera sur ÉdeN la sauvage, une planète récemment découverte, protégée de toute atteinte à son environnement par son statut « écol », mais qui excite les appétits de la peu scrupuleuse DeltaGen.

Un roman d'aventures riche en péripéties et pétillant d'humour, dont l'action se passe sur une planète étrange et fascinante. Mais aussi un message écologique clair : face à la cupidité de certaines multinationales, notre Terre est en sursis !

« Un vrai roman de science-fiction, d'aventures, d'amour et de suspense ! »
(http://www.choisirunlivre.com)

7. *Le mensonge dans les veines*
Michaël Espinosa

Diane est une adolescente ordinaire. Bonne élève, entourée de parents aimants et d'un petit ami attentionné, elle vit une existence sans histoires. Mais suite à plusieurs malaises et à des accès de violence inexplicables, elle subit une série d'examens médicaux qui vont faire basculer sa vie. Elle se découvre d'inquiétants pouvoirs... qui intéressent dangereusement les Forces Fédérales de Sécurité (FFS) et la Police Secrète Religieuse (PSR). Il ne lui reste plus qu'une solution : fuir, comme une bête traquée. Quel monstre est-elle devenue ?

Un thriller futuriste au rythme haletant qui ne laisse aucun répit au lecteur et le touche dans ce qu'il a de plus intime, son corps.

« Un livre mené à cent à l'heure, une héroïne aux super-pouvoirs qui emportera l'adhésion des adolescents, une interrogation sous-jacente sur le progrès et ses conséquences, voilà un cocktail à conseiller dès 12 ans pour s'évader et vivre (par procuration) des aventures haletantes. »

(François Schnebelen – http://www.yozone.fr/)

DÉCOUVREZ AUSSI CHEZ SYROS
(Hors-série)

MÉTO

La Maison – tome 1
Yves Grevet

Soixante-quatre enfants vivent coupés du monde, dans une grande maison à l'organisation très stricte. Chacun d'eux sait qu'il devra en partir lorsqu'il aura trop grandi. Mais qu'y a-t-il après la Maison?...

Prix des collégiens du Doubs 2008
Prix Tam-Tam Je Bouquine 2008
Prix jeunesse de la ville d'Orly 2009
Prix Enfantaisie 2009 (Suisse)
Prix Ruralivres en Pas-de-Calais 2008/2009
Le Roseau d'or 2009 (44)
Prix Gragnotte 2009 de la ville de Narbonne
Prix Chasseurs d'histoires 2009 de la ville de Bagneux

«Ce premier tome d'une trilogie d'anticipation navigue entre l'atmosphère des films de Costa-Gavras et l'univers de Sa Majesté des Mouches, *suscitant parfois un délicieux malaise.* (...) *L'auteur révèle la face cachée de l'âme humaine face à l'apprentissage de la liberté. Magnifique.»*
(Marie Rogatien – *Le Figaro magazine*)

MÉTO

L'Île – tome 2
Yves Grevet

Méto et ses camarades ont enfin franchi les portes de la Maison, livrant un combat terrible pour leur liberté. Mais Méto est grièvement blessé lors de la bataille... Lorsqu'il se réveille, il se rend compte que ses paupières ont été collées et qu'il est entravé à un lit. Où est-il? Et ses amis, sont-ils encore en vie?...

«À découvrir d'urgence tant l'univers de ces romans est étrange et passionnant.»
(*D Lire*)

MÉTO

Le Monde – tome 3
Yves Grevet

De retour à la Maison, Méto est séparé de ses proches et désigné aux yeux de tous comme le «traître». Mais les César le conduisent bientôt dans une partie de la grande demeure tenue secrète et réservée aux membres du groupe E, une élite chargée d'effectuer des missions sur le continent...

CPI

Mis en pages par DV Arts Graphiques à La Rochelle
Achevé d'imprimer en France par CPI Hérissey à Évreux (Eure)

Dépôt légal: mai 2010
Loi n° 49.956 du 16 juillet 1949
sur les publications destinées à la jeunesse
N° d'éditeur: 10167226 - N° d'imprimeur : 113981